ビジネス英語の敬語

微妙なニュアンスを英語で伝える状況に応じた丁寧表現

浅見ベートーベン 著
Beethoven Asami

CDつき

クロスメディア・ランゲージ

はじめに

　多くの皆様は、学校で「英語に敬語はない」と教えられたのではないでしょうか。そんなことはありません。実際には、たくさんの敬語が存在します。しかも、敬語のレベルは、はっきりしています。そもそも、イギリスやアメリカは民主主義の国だからという理由で、上下の隔てなく、対等な立場から会話が行われていると想像しているのではないでしょうか。現状は、英米とも、日本よりずっとはっきりした階級社会が存在していると言っても過言ではありません。日本人の多くの英語教師は、欧米での滞在経験がないため、英語の敬語に関する知識がなく、教えることができないのではないでしょうか。また、英語の教科書には日常会話が多いため、上下関係を表す表現がほとんど含まれていないのではないでしょうか。しかし、海外赴任の経験や、欧米人と同じ職場で働いた経験のある人たちは、同じことを言うにも、ネイティブたちは相手の地位や年齢に応じて違った表現を使っていることに、すぐに気づくと思います。もちろん、そんなことは気にせずに、または気づかずに、友人や同僚と会話しているようなカジュアル表現をお客様に対して使っている人もいます。しかし、そのようなカジュアル表現を使っていたのでは、ビジネス相手のお客様に対して失礼ですし、悪い印象を与えてしまい、結局、取引がうまくいかなくなる場合が多くなることでしょう。一方、適切な敬語表現を使うことができる人は、ビジネス相手に好印象を与え、取引が成功する確率がぐっと高くなるでしょう。

　たとえば価格交渉の場合、買い手側が売り手側に対して、命令口調で値引きを要求するとします。

Your current price is too high. We need a big discount ASAP.
現在の価格は高すぎます。大至急、大幅に値引きしてほしい。

　同じ要求でも、次のような丁寧な表現を使うことにより、相手も気持ち良く、値下げの検討をしてくれることでしょう。

I am afraid to say that we are unable to buy your products at the current price. We would appreciate it very much if you would reconsider your current price.

申し訳ありませんが、現在のお値段では、御社の製品を購入することができません。現在の価格を再検討いただければ、大変感謝いたします。

次に、お客様からクレームが入った場面を想定してみてください。怒っているお客様に対して次のような気配りのない質問をしたのでは、さらに怒りを助長させてしまいます。

Please tell us your problem with our product.
我が社の製品にどんな問題があるか言ってください。

その代わりに、次のような丁寧な表現を使うことにより、お客様の怒りを和らげることができます。

Would you mind informing us if you've experienced any inconvenience as a result of your purchase?
ご購入になった品物で、どのようなご不便をお感じになったか、お知らせいただいても構いませんでしょうか？

　本書では、ビジネスの場面別にフォーマルな表現をご紹介しています。様々な場面において、どのような表現を使えばフォーマルになるか、また、どのような表現をすればさらにフォーマル度を上げることができるのかをご紹介しています。また逆に、「ビジネスの場では避けるべき表現」も掲載してあります。
　2020年の東京オリンピックが近づくにつれ、海外から視察に訪れる政府・企業関係者や、一般旅行者の数は、飛躍的に増加することでしょう。海外からのお客様に対して、特にビジネスでは、同僚や家族に対して使うような英語表現で対応することはできません。
　ぜひ、本書と付属のCDを利用して英語のフォーマル表現を体得してください。それにより、ビジネスの成功に結びつくことがありましたら、著者としてこの上ない幸せです。
　最後になりますが、編集担当の小野田幸子様から多くの貴重なアドバイスをいただいたことに対して、心から感謝の意を表します。

浅見ベートーベン

CONTENTS

はじめに ……………………………………………………………………… 3
本書の特長と使い方 ……………………………………………………… 11

★これだけは押さえておきたい　ビジネス英語の敬語基本表現

thank と appreciate の違い ……………………………………………… 13
I'd appreciate it if 人 could/would ……………………………………… 16
could や would を使う …………………………………………………… 18
過去進行形を使う ………………………………………………………… 20
受動態を使う ……………………………………………………………… 22
提案の形に変える ………………………………………………………… 24
COLUMN　PC な言葉を使う …………………………………………… 26

CHAPTER 1
電話

名前を尋ねる ……………………………………………………………… 30
名前の綴りを尋ねる ……………………………………………………… 32
COLUMN　アルファベットを表す単語 ………………………………… 34
名乗った後でつないでもらう …………………………………………… 36
メッセージを受ける ……………………………………………………… 39
電話の目的を尋ねる ……………………………………………………… 41
聞き返す …………………………………………………………………… 43
電話を終える ……………………………………………………………… 45
COLUMN　代表的なニックネーム ……………………………………… 48
COLUMN　電話番号の読み方 …………………………………………… 50

CHAPTER 2
ミーティング

会議を始める ……………………………………………………………… 52
初めての参加者を紹介する ……………………………………………… 53
欠席者の名前を挙げる …………………………………………………… 54
会議の目的を述べる ……………………………………………………… 55
前回の議事録を読む ……………………………………………………… 56
最新状況を説明する ……………………………………………………… 57
議事項目を確認する ……………………………………………………… 58
他の議題がないことを確認する ………………………………………… 59
役割を説明する …………………………………………………………… 60
項目ごとにかける時間を決める ………………………………………… 62

CONTENTS

最初の項目を取り上げる ……………………………………………… 63
次の項目に移る ………………………………………………………… 64
他の人にバトンを渡す ………………………………………………… 65
話し合ったことを要約する …………………………………………… 66
会議を終わりにしていいかを確認する ……………………………… 67
次の会議の予定を決める ……………………………………………… 68
参加者に感謝する ……………………………………………………… 69
会議を終了する ………………………………………………………… 70

CHAPTER 3
雑談（スモールトーク）

きっかけの表現 ………………………………………………………… 72
次の話題に移る表現 …………………………………………………… 74
相槌を打つ ……………………………………………………………… 75
別れ際の表現 …………………………………………………………… 76
空港の搭乗場所で ……………………………………………………… 78
夏休みについて ………………………………………………………… 82
通勤方法について ……………………………………………………… 84
好きなレストランや食べ物 …………………………………………… 87
天候の話題 ……………………………………………………………… 89
現在の仕事を尋ねる …………………………………………………… 92
過去の仕事を尋ねる …………………………………………………… 94
グローバル企業の社内パーティーで ………………………………… 96
会社主催のクリスマス・パーティーで ……………………………… 98
COLUMN 英語は大砲言語 …………………………………………… 102

CHAPTER 4
報告・連絡・相談

報告する ………………………………………………………………… 104
連絡する ………………………………………………………………… 108
相談する ………………………………………………………………… 111
COLUMN 温泉と外国人 ……………………………………………… 114

CHAPTER 5
オフィス機器のトラブル

- 近くにいる人に手助けを頼む ……… 116
- ネットのトラブル ……… 117
- メールの送受信のトラブル ……… 119
- ファックスの送受信のトラブル ……… 120
- プリンターやコピーのトラブル ……… 122
- 紙が詰まる ……… 125

CHAPTER 6
アポイントメント

- アポイントを取る ……… 128
- 日時を調整する ……… 130
- 日時以外の詳細を確認する ……… 133
- アポイントをキャンセルする ……… 134
- **COLUMN** 説明できないのなら、それは問題とは呼ばない ……… 136

CHAPTER 7
訪問

- 受付で ……… 138
- 応接室で ……… 140
- 打ち合わせに入る ……… 142
- 打ち合わせを終える ……… 145
- **COLUMN** 頑張ればいいわけじゃない ……… 148

CHAPTER 8
会社説明

- 会社説明を始める ……… 150
- 会社沿革 ……… 151
- 経営方針 ……… 153
- 主要な顧客と製品 ……… 154
- 開発方法 ……… 155
- 保証とサービス体制 ……… 157

CONTENTS

Q&Aセッション ·· 158
COLUMN 喜ばれる日本からのお土産 ····················· 160
COLUMN 日本からのお土産が功を奏すとき ········· 162

CHAPTER 9
交渉

交渉のルールを決める ··· 164
同意する・異議を唱える ·· 166
理由を述べる ·· 168
確認する ·· 169
値段交渉する ·· 171
否定する ·· 173
要約する ·· 175
結びの言葉 ·· 177
COLUMN 日本の要求品質 ··· 178

CHAPTER 10
注文

見積もりを依頼する ·· 180
見積もりを提出する ·· 181
見積もりについて話し合う ·· 182
見積もり内容を確認する ·· 183
価格交渉する ·· 184
さらに価格を下げてもらう ·· 186
発注する ·· 187
入荷を確認する ··· 188
検査結果を伝える ··· 189
代替品を要求する ··· 190
キャンセルする ··· 191
COLUMN sorry と言わないアメリカ人 ················· 192

CHAPTER 11
クレーム・謝罪

クレームを入れる ··· 194
クレームに対応する ·· 197

謝罪の「3つのR」 1. Regret 199
謝罪の「3つのR」 2. Responsibility 201
謝罪の「3つのR」 3. Remedy 203

CHAPTER 12
レストランでの接待と接客

(接待する側) 日程を確認する 206
(レストラン側) お客様を迎える 208
(レストラン側) 注文を受ける 209
(お客側) 注文までしばらく時間をもらう 210
(お客側) お勧めの料理を尋ねる 211
(お客側) 注文する 212
(レストラン側) ステーキの焼き方を尋ねる 213
(レストラン側) 付け合わせについて尋ねる 215
(レストラン側) 飲み物について尋ねる 217
(接待する側) 好みの味かどうかを確認する 219
(お客側) 注文したものと違う 220
(レストラン側) 問題ないか尋ねる 221
(お客側) もう1杯頼む 223
(接待する側) 〆の言葉を言う 224
(お客側) お勘定を頼む 225
(レストラン側) 支払方法を尋ねる 226
(お客側) チップを払い、お礼を言う 228
COLUMN 議事録のおかげで賠償金を免れる 230

CHAPTER 13
出迎え・ホテル宿泊

出迎えてもらう 232
チェックイン・チェックアウト 234
ホテルの部屋で 235
COLUMN 宿泊費の高額なホテルは安全である 238

CHAPTER 14
工場見学

工場見学での会社説明 240

CONTENTS

工場内で ··· 242
終わりの挨拶 ··· 244

CHAPTER 15
プレゼンテーション

挨拶する ··· 246
自己紹介 ··· 247
所要時間を告げる ·· 248
目的や主題を告げる ··· 249
メリットを伝える ·· 250
構成を伝える ·· 251
質疑応答について ·· 252
最初の話題に入る ·· 253
２番目の話題に入る ··· 254
質問する ··· 255
質問を呼びかける ·· 256
難しい質問に答える ··· 257
質問を問い返す ··· 258
納得のいく答えになっているか確認する ································ 259
締めくくる ··· 260
出席者に感謝する ·· 261
COLUMN　Role Playing ·· 262

CHAPTER 16
社内でのスピーチ

社長賞の表彰 ·· 264
社長賞受賞者の挨拶 ··· 265
帰国する人の送別会 ··· 267
赴任の終わりに ··· 270
定年退職者の送別会 ··· 272
退職する人のスピーチ ·· 273
今後の付き合いも期待すると述べる ······································ 276
COLUMN　海外で運転する ·· 278

本書の特長と使い方

【 本書の特長 】

　外資系メーカーで35年間、英語を使って仕事をしてきた著者によるビジネス英会話書。相手への敬意を表す微妙なニュアンスが英語で伝えられるようになります。状況に応じて、丁寧な表現を使いこなしましょう。

> **ポイント**
> - ビジネスにふさわしい英語のフォーマル表現が身につく
> - 英語の丁寧度合いを「カジュアル」「ふつう」「ややフォーマル」「とてもフォーマル」「NG」のアイコンで表示
> - 失礼な英語を使ってしまわないように、相手との距離感に応じた表現を選んで話せる

【 本書の構成 】

　日本語と同様に英語でも、相手や状況に応じてフォーマルな表現を使い分けています。本書では、フォーマル度を「カジュアル」「★（ふつう）」「★★（わりとフォーマル）」「★★★（かなりフォーマル）」、そしてビジネスで使うべきでない「NG」とに分けてご紹介します。会話で使うことを想定しています。

カジュアル

あまり気を遣わなくても構わない同僚や親しい人に対して使用できる表現です。

★ **ふつう**

一般的な表現で、見知らぬ人や顧客に対して使用できる表現です。

★★ **わりとフォーマル**

地位や年齢が上の方や得意先に対し、ややかしこまって使用する表現です。

地位がぐっと上の方や、とても大切な得意先に対しても使用できる表現です。

 No Good のこと

使用すると相手に不快感を与えたり、ビジネスに悪影響を与えたりする可能性が高いので、使用すべきでない表現です。

　英文の中で、フォーマル度を表す表現は青字になっています。特にこの青字の部分を使いこなしてください。
　本書で取り上げているのは基本的にシンプルな英文ばかりですが、必要に応じて注をつけています。フォーマル度に関する説明や、少し難しいと思われる語句の意味などを載せています。
　本書の英文校正は、アメリカ人とイギリス人の方々にお願いしました。基本的にアメリカ英語で書かれていますが、イギリスでも通じる表現です。

【 CD について 】
　付属の CD には、本書で紹介した英文が収録されています（NG 表現は収録されていません。使うべきでない表現だからです）。
　ナチュラルなスピードでの、アメリカ英語のナレーションです（男女2人）。
　音声を何度も聴き、英文を口にすることで、いざビジネスで英語を話すときに、自然な英語が口をついて出るようになります。
　また本書の CD の音声は、クロスメディア・ランゲージのウェブサイトからもダウンロードが可能です。（CD とダウンロードデータの内容は同じです）

http://www.cm-language.co.jp/books/businesskeigo/

! これだけは押さえておきたい　ビジネス英語の敬語基本表現

thankとappreciateの違い

　thank と appreciate は、どちらも「感謝する」を意味する言葉です。appreciate のほうがよりフォーマルで、文語でもよく使われます。日本語の「深謝する」にあてはまると考えると、すっきりと理解できます。
　微妙な違いを感じ取っていただくために、それぞれの代表的な表現をご紹介します。生きたフレーズとしてそのまま覚えれば、実際の会話で使うことができます。

 **thank**

Thank you.
ありがとう。

I thank you. / Thank you very much.
どうもありがとう。

> Thank you. よりも I thank you. のほうが丁寧です。買い物をした場合などに、店員が We thank you.（お店として感謝しています）と言うこともあります。

Thank you very much for helping me.
お助けいただきまして本当にありがとうございます。

I thank you from the bottom of my heart.
お助けいただきまして、心から感謝申し上げます。

Thank you in advance.
よろしくお願いします。

> 「前もって感謝します」という表現は、「協力してくれるという独りよがりの考えなので、使わないほうがよい」と考える人もかなりいます。

There is no need to thank me.

私に感謝する必要はありません。

Thank you anyway.

(役に立たなかったけれど) とにかくありがとう。

I'll thank you not to interrupt me again.

これ以上邪魔していただかなければ、感謝します。
> これは、thank という言葉は使っていますが、邪魔しないように相手に強い警告を与えています。

appreciate

I appreciate it.

本当にありがとうございます。

I certainly appreciate your kindness.

ご親切に対して心から感謝いたします。

I greatly [really] appreciate your help.

あなたの助けに心から感謝いたします。

We really appreciated the invaluable information you gave us.

頂戴した貴重な情報に対して、とても感謝しております。

Your support is greatly appreciated.

あなたの (今後の) ご協力に対して、心から感謝いたします。
> このように受動態を使って遠回しに言う場合もあります。

Your immediate reply on this matter is greatly appreciated.
この件に関して、至急ご返事いただければ心から感謝いたします。

Your help the other day was greatly appreciated.
先日お助けいただいたことに対して、心から感謝しております。

これだけは押さえておきたい ビジネス英語の敬語基本表現

I'd appreciate it if 人 could/would

TRACK 02

とても丁寧でかつへりくだった表現。相手に何かを依頼するときに使われる代表的な形です。口語、文語どちらでも使われます。I'd は I would の短縮形です。

I'd appreciate it if you could email me today on this matter.
この件に関して、今日メールいただければ、心から感謝いたします。

I'd appreciate it if you wouldn't mention this.
このことについて、他言していただかなければ心から感謝いたします。

ビジネスレターでは次のように very much とともに使われることがよくあります。

I'd appreciate it very much if you could send me your latest brochure immediately.
大至急、最新カタログを私宛てにお送りいただければ、心から感謝いたします。

イギリスでは少し皮肉を込めた表現で使われることもあります。

I'd appreciate it if you would let me get on with my job.
自分の仕事に集中させていただければ、心から感謝いたします。

さらに少しフォーマル度が弱まるのが、次のように〜ingを使った言い方です。まだ十分フォーマルな表現です。

I'd appreciate your emailing me today on this matter.

この件に関して本日メールいただければ、心から感謝いたします。

- your emailing me はあなたが私にメールしてくれることを意味し、appreciate の目的語になっています。if you could email me と言い換えれば、フォーマル度は増します。一般的に言って、使われる単語の数が多いほどフォーマル度が増すとご理解ください。

I'd appreciate your paying in cash.

現金でお支払いいただければ心から感謝いたします。

- your paying は appreciate の目的語です。if you would pay と言い換えれば、フォーマル度が増します。

　if 以下に could や would を伴わない表現もあります。こちらもフォーマル度はやや落ちます。

I'd appreciate it if you paid in cash.

現金でお支払いいただければ心から感謝いたします。

- 支払ってくれたと想定しているので、仮定法の paid を使います。would pay と言えば、ややフォーマル度が上がります。

> これだけは押さえておきたい　ビジネス英語の敬語基本表現

couldやwouldを使う

　日本語で何かを頼んだり、相手の好意を期待したりする場合には、できるだけ丁寧な表現を使ったほうが、聞き入れてもらえるチャンスが高まると言ってもいいでしょう。同じことが英語の表現にも当てはまります。日常使っている表現にcouldやwouldなどを加えると、礼儀正しい表現になります。たとえば、

　カジュアル　**Hand me the folder.**
　　そのフォルダーを手渡してくれ。

と言ったのでは、同僚との間ならかろうじて使うことはできても、かなり乱暴な頼み方です。その代わり、

★　**ふつう**　**Could you hand me the folder?**
　　そのフォルダーを手渡していただくことは可能でしょうか？

のように、前にcouldをつけて疑問文にすることによって、礼儀正しい丁寧な表現に変えることができます。couldの代わりにwouldを使うとやや丁寧さが増します。

★　**ふつう**　**Would you hand me the folder?**
　　そのフォルダーを手渡していただけますでしょうか？

と言えば、相手の意思を尋ねていることになります。一方couldは、できるかどうか能力を尋ねる際に使われることが多いものです。couldよりもwouldを使ったほうが、より丁寧な表現になるという人が欧米には多くいます。もちろん、どちらでも丁寧さにあまり違いはないという意見の人もいます。しかし皆様にはできるだけwouldを使うことをお勧めします。さらに丁寧にフォーマルに言う必要がある場合には、Would you mind 〜ing? を使って

★★ かなりフォーマル Would you mind handing me the folder?

そのフォルダーを手渡していただいても構いませんでしょうか？

と言います。これは「〜することを気になさいますか」というのが本来の意味です。この表現では would の代わりに could を使うことはできません。

　他のフォーマルな表現としては、Would it be possible for 人 to do 〜 ? があります。

★★ わりとフォーマル Would it be possible for you to hand me the folder?

そのフォルダーを私に手渡していただくことは可能でしょうか？

　フォルダーを取ってもらうためにここまでの丁寧表現を使う必要はないと思う方もいると思いますが、たとえば自分よりずっと地位が上の人に頼む場合には適切な表現です。しかし決して卑屈な表現というわけではないので、堂々と使っても問題ありません。

　また、次のような丁寧表現もあります。

★★ かなりフォーマル Would it be too much trouble for you to hand me the folder?

そのフォルダーを私に手渡すことが、あなたにご迷惑をかけ過ぎなければよろしいのですが。

相手の立場に立って「ご迷惑をかけませんか」という丁寧な表現になります。

> これだけは押さえておきたい　ビジネス英語の敬語基本表現

過去進行形を使う

過去進行形を使うと、直接的な表現を間接的に変えることができます。その結果、相手が受け入れやすい丁寧なリクエストになります。

カジュアル **I'd like to take tomorrow off.**
明日休暇を取りたいのですが。

これは、相手に対する気遣いの感じられない自分の要求をそのまま伝えている表現です。次のように変更することにより、丁寧で、フォーマルな表現に変えることができます。I wonder より I was wondering のほうが、フォーマル度は高くなります。

★ **ふつう** **I wonder if I could take tomorrow off.**
★ **わりとフォーマル** **I was wondering if I could take tomorrow off.**
もしかして明日休暇を取ることは可能でしょうか。

強い要求を意味する need を使った表現を、過去進行形を使って変更すると、高圧的な表現をおとなしい表現に変更することができます。このようにすることで、相手が素直に自分の要求を聞き入れてくれるようになるものです。

カジュアル **I think we need to develop more user-friendly products.**
ユーザーにとってもっと優しい製品を開発する必要があると思います。

★ **ふつう** **I was thinking we need to develop more user-friendly products.**

ユーザーにとってもっと優しい製品を開発する必要があるのではないかと考えています。

次の文は aim を使っていますので、今週末までに完成させるという強い意志が感じられます。これを過去進行形にすれば、「できればそうしたい」という希望の表現に変化させることができます。

★ ふつう **We are aiming to complete our annual report by the end of the week.**

今週末までに、年次報告書を完成させることを目標にしています。

★ わりとフォーマル **We were aiming to complete our annual report by the end of the week.**

今週末までに、年次報告書を完成させることを目標にしたいと思っております。

これだけは押さえておきたい ビジネス英語の敬語基本表現

受動態を使う

TRACK 05

　思ったままを表現したのでは、相手を悩ませたり、怒らせたりする可能性があるという場合に、受動態を使います。それにより、相手を非難しているのではなく一般論として言っているのだというニュアンスを伝えることができます。結果として、相手も言われたことを受け入れやすくなります。

NG **You said you were going to deliver the products yesterday.**

あなたは昨日、製品を納入すると言いました。

> このように言うと、相手を直接糾弾していることになってしまいます。その結果、相手は「いや、そのようには言っていません」などと、言い訳をしたくなるものです。

★★ わりとフォーマル **It was understood that you were going to deliver the products yesterday.**

昨日、製品を納入なさる予定だと了解しておりました。

> It was understood と受動態の過去形を使うことにより、相手を責めるのではなく「that 以下ということで理解しております」と遠回しに言っていることになります。

NG **You agreed to lower your current prices.**

現在の価格を下げることに同意しましたよね。

> まるで「同意したのになぜ下げないのか」と詰問しているように聞こえるので、相手がカチンと来てしまうことになります。

★★ わりとフォーマル **It was agreed that you were going to lower your current prices.**

現在の価格を下げようとすることを、同意していただけたもの

　　　　と理解しております。

> It was agreed で始めることにより、直接相手を責めるのではなく、相手が同意したことにやんわりと論点を移すことができます。

これだけは押さえておきたい ビジネス英語の敬語基本表現

提案の形に変える

TRACK 06

　自分の考えを相手に伝える際に、「〜すべきである、〜しなければならない」と命令口調で言ったのでは、相手は感情的になって、素直に従ってくれないものです。この場合には、提案の表現で伝えると、受け入れてもらえる確率を上げることができます。

カジュアル　We must conduct a customer survey.

顧客サーベイをすべきです。

> このように命令口調で言われたのでは、「そうは言ってもサーベイにはお金もかかるし、準備も大変だし」などと反論したくなるのが人情ではないでしょうか。

★ ふつう　How about conducting a customer survey?

顧客サーベイを実施したらどうでしょうか？

> 少しカジュアルな表現ではありますが、高飛車な命令口調ではなく提案しているので、相手の同意を得やすくなるでしょう。How about 〜ing? の代わりに、What about 〜ing? や Why don't we 〜? を使っても同じ意味になります。

★ ふつう　Shall we conduct a customer survey?

顧客サーベイを実施しませんか？

> こちらもカジュアルな提案の表現です。

★★ わりとフォーマル　May I suggest a customer survey?

顧客サーベイを提案させていただいてもよろしいでしょうか？

> May I suggest 〜?「〜を提案させていただいてもよろしいでしょうか」とへりくだって言えば、相手は「そういうことなら、提案を聞いてみようか」という気持ちになるでしょう。

★★★ わりとフォーマル **Couldn't we conduct a customer survey?**

顧客サーベイを実施することは、可能ではありませんか？

> Couldn't を文頭に持ってくることにより、さらにへりくだった表現になります。

★★★ かなりフォーマル **Wouldn't it be better to conduct a customer survey?**

顧客サーベイを実施したほうがよろしいのではないでしょうか？

> 人称代名詞は全く入れないことで、さらに抽象的でとても丁寧な提案の表現になります。

PCな言葉を使う

　グローバル・ビジネスを進める際に気をつけなければいけないのが、politically correct（縮めて PC）な言葉を使うということです。1980年代からアメリカで広がり始めた考え方で、性別や年齢、人種、宗教、職業、障害などによる社会的な差別や偏見が含まれていない公平な表現や用語のことを言います。

　私がニューヨークのキングストン市にある IBM の研究所で会議に出席していたときのことです。その会議は、新プロジェクトの立ち上げに関するものでした。プレゼンを行っていたのは男性の部長で、そのプロジェクトの責任者でした。プロジェクトを進める際に必要なマンパワー（人的資源）の詳細を説明していたときのことです。後ろのほうの席に座っていた女性が手を挙げて、「プレゼンに使っているその manpower 表の中には女性は含まれていないのか、男だけで仕事をする予定なのか」と問いました。すると、部長は、急にあたふたと落ち着かない態度を示し、「大変申し訳ない、女性も含まれている」と答えました。それを受けて女性の質問者は、それならば、manpower ではなくて personpower と言わなければ間違いだと強い口調で言いました。部長は以降のプレゼンでは、表に manpower と書いてある部分はすべて personpower と読んだのでした。

　それでは、代表的なものをご紹介しますので、ビジネスの場面では左側の語の代わりに右側の語を使うように気をつけてください。

使用を避けるべき従来の用語	PC 的に使用すべき用語
air hostess / stewardess 注 cabin attendant（CA）は和製英語。	flight attendant / cabin crew 客室乗務員
black American	African-American アフリカ系アメリカ人

blind	visually impaired 視覚障害のある
businessman / businessmen	businessperson / businesspeople ビジネスパーソン、会社員
chairman	chairperson / chair 議長
deaf	hearing-impaired 聴覚障害のある
disabled	physically challenged 身体障害の
fat	plus-size / differently sized プラスサイズの／違ったサイズの
fireman	firefighter 消防士
foreign student	international student 外国人留学生
freshman	first-year 新入生、新人
key man	key person キーパーソン
manpower	personpower 労働力、人的資源
Merry Christmas	Happy Holidays ハッピーホリデー
Miss / Mrs.	Ms. ［未婚 (Miss)、既婚 (Mrs.) に関係なく女性の姓・姓名につけて］〜さん

PCな言葉を使う 27

overweight	person of size サイズのある人
personnel department	human resources 人的資源、人事部
salesman	salesperson / salespeople 販売係、営業係
serviceman	serviceperson / servicepeople サービス要員
short	not tall 高くない
skilled manual worker	tradesperson 職人
spokesman	spokesperson / spokespeople 代弁者、代表者
under-funded	under-resourced 財源不足の
waiter / waitress	server 給仕スタッフ
weatherman	weatherperson / weather reporter 気象予報士

CHAPTER 1

電話

　私は、日本IBMに35年間勤務していました。その間アメリカには合計4年、また APG と呼ばれるアジアの IBM 本部に2年間勤めました。この6年間は英語だけを使って仕事をしていました。その他の 30 年間のうち、20 年は上司がアメリカ人だったので、仕事上の会話はすべて英語を使っていました。35 年間に、数え切れないほどの欧米人やアジア人たちと電話で英語を使って話したり、電話会議をしたりしました。

　これらの経験を通して、日本と海外では、ビジネス電話の使い方が大きく違っていることに気づきました。外国ではとにかく、ビジネスでは長電話をします。1 通話に 30 分から 1 時間かけるのが普通です。とにかく電話を使ってどんどんビジネスをこなしていくのです。私が赴任していたニューヨークのオフィスはそれぞれ個室でしたが、長い廊下を下っていきながら部屋の中をのぞいてみると、ほとんどの人が電話で話していました。彼らになぜそんなに電話をかけるのか尋ねてみると、仕事を進めるのに一番いいのは実際に会って話をすることだけれど、それができないときには電話がいい、その次がメールや手紙なのだという彼らの考え方を教えてくれました。

　次に大きく違っていると思ったのが、折り返しの電話についてでした。I'll call you back tomorrow.（明日折り返し電話します）と言って、電話を終えると、まず 100％翌日に電話がかかってきます。アメリカ人から日本人についてよく聞くクレームは、「日本人は明日折り返し電話をすると言っておきながら、ほとんど電話してこない。日頃、誠実で、責任感の強い日本人が、折り返しの電話についてなぜこんなにも約束を守らないのか、不思議で仕方ない」ということです。

名前を尋ねる

洋の東西を問わず、電話をかけてきたのに名乗らない不届きな人がいます。電話を受けたほうには、相手が誰なのか尋ねる権利があります。名前を言わない人からの電話をつないでしまうと問題を起こしかねませんので、必ず確認することが大切です。それと、電話を社内の人につなぐ前に、つないでもよい人なのか、つないでほしくない人なのかをしっかりと確認しておきましょう。

★ ふつう Who's calling, please?

どちらさまですか？

★★ わりとフォーマル May I have your name, please?

お名前をお伺いできますか？

> この表現が一番よくある名前の尋ね方で、ややフォーマルです。

★★ わりとフォーマル Who should I tell her is calling?

どなたからの電話だと伝えればよろしいでしょうか？

> これはちょっとわかりにくい表現です。「電話をつなぐ相手に、誰から電話がかかってきたかを伝えたいので教えてほしい」と尋ねています。

★★★ かなりフォーマル Would you mind telling me your name, please?

お名前を教えていただいても構いませんでしょうか？

> Would you mind ～ ing, please? の構文は日本人にとっては答えにくいものです。Yes, I would. と答えると、「構うので、答えたくありません」という意味になってしまいます。No, I wouldn't. と答えれば、「構わないので、お答えします」という意味になります。Yes/No の返事は間違えやすいので、Not at all.（全然構いません）と答えるようにするとよいでしょう。こうすれば最もフォーマルな表現となります。

> NG: **What's your name?**
>
> 名前は何ですか？
>
> ▷ 電話で使ってはいけない表現です。相手は、こう尋ねられるとムカッとするはずです。

> NG: **Who's this?**
>
> あなたは誰ですか？
>
> ▷ 顔の見えない人に対して、ぶしつけに名前を尋ねる表現なので、使わないようにしてください。またこのように質問されても、自分の名前を相手に告げる必要はありません。

カジュアル **Sanae Hashimoto speaking.**

橋本早苗と言います。

★ ふつう **This is Sanae Hashimoto speaking.**

こちらは、橋本早苗と申します。

★ わりとフォーマル **Please tell her that Ms. Sanae Hashimoto is calling.**

橋本早苗からの電話とお伝えください。

★★ かなりフォーマル **Not at all. This is Ms. Sanae Hashimoto speaking.**

もちろん構いません。私の名前は橋本早苗と申します。

▷ この Not at all. は、Would you mind 〜? に対する決まり文句で「全く気にしていない」を意味します。

名前の綴りを尋ねる

　外国人の名前を聞いただけで、正しい綴りで書き留めることは、とても難しいものです。名前の綴りを電話で伝える際に、アメリカの軍隊で採用されているアルファベットの通信用語が、ビジネス英語の世界でも広く使われています。日頃から、自分の名前や会社名はこの通信用語を使って言えるように練習しておきましょう。たとえば、A as in Alpha（アルファのA）、B as in Bravo（ブラボーのB）、C as in Charlie（チャーリーのC）などと言います。p.34で、通信用語を使ったアルファベットの読み方をご紹介します。

★ ［ふつう］ **Please spell your name.**
名前の綴りをお願いします。
> おとなしい言い方ですが、丁寧と言うほどでもありません。

★ ［ふつう］ **How do you spell your name?**
お名前はどのように綴りますか？
> ごく普通に使われる表現ですが、フォーマルではありません。

★★ ［わりとフォーマル］ **Would you spell your name, please?**
お名前はどのように綴ればよろしいでしょうか？
> Wouldで始めて、pleaseで締めているので、十分フォーマルな表現になります。

★★ ［かなりフォーマル］ **Would you mind spelling your name, please?**
お名前の綴りをお伺いしても構いませんでしょうか？
> Would you mind 〜 ingで始めて、pleaseで締めているので、最もフォーマルな表現と言えます。

 **I can't spell your name.**

名前を綴ることができません。

> 自分が名前を綴れないのは相手のせいではないので、失礼な表現です。使わないようにしてください。

`カジュアル` **My name is Ken Tanaka. K, E, N, and T, A, N, A, K, A.**

私の名前は、田中健です。ケィイーエヌ、ティーエィエヌエィケィエィです。

★ `ふつう` **Of course. My name is Ken Tanaka. It's K as in Kate, E as in Easy, N as in New York, T as in Thomas, A as in Alice, N as in New York, A as in Alice, K as in Kate, and A as in Alice.**

もちろんです。私の名前は田中健です。ケイトのK、イーズィーのE、ニューヨークのN、トーマスのT、アリスのA、ニューヨークのN、アリスのA、ケイトのK、それにアリスのAです。

> 一般的な通信言語を使っているので★（ふつう）の表現になります。Of course. は、Would you ～? に対する答えの表現です。

★★★  **Not at all. My first name is Ken. That's K as in Kilo, E as in Echo, and N as in November. My last name is Tanaka. T as in Tango, A as in Alpha, N as in November, A as in Alpha, K as in Kilo, and A as in Alpha.**

もちろん構いません。私の名前は健です。キロのK、エコーのE、ノベンバーのN。苗字は田中です。タンゴのT、アルファのA、ノベンバーのN、アルファのA、キロのK、それにアルファのAです。

> フォーマルな軍隊用の通信用語を使っています。Not at all. は、Would you mind ～? に対する答えの表現です。

名前の綴りを尋ねる

アルファベットを表す単語

TRACK 10

　名前の綴りを相手に伝えるときに、便利なのが「通信用語」です。これは無線通信の際、アルファベットを読み間違えないように単語で表したものです。通信用語には、アメリカの陸・海・空軍で使用されるものと、一般的に使われるものの2つがあります。これを使えば、とてもスムーズにアルファベットを伝えることができ、聞き間違いも防ぐことができます。

➡ アメリカの陸・海・空軍で使用される通信用語
　軍隊で使用されているフォーマルな通信用語です。ビジネス英語でも使われており、フォーマルなニュアンスを出すことができます。

- A as in Alpha（アルファの A）
- B as in Bravo（ブラボーの B）
- C as in Charlie（チャーリーのC）
- D as in Delta（デルタの D）
- E as in Echo（エコーの E）
- F as in Foxtrot（フォックストロットの F）
- G as in Golf（ゴルフの G）
- H as in Hotel（ホテルの H）
- I as in India（インディアの I）
- J as in Juliett（ジュリエットの J）
  注 女性名の Juliet と通信用語の Juliett は綴りが違います。
- K as in Kilo（キロの K）
- L as in Lima（リマの L）
- M as in Mike（マイクの M）
- N as in November（ノベンバーの N）
- O as in Oscar（オスカーの O）
- P as in Papa（パパの P）
- Q as in Quebec（ケベックの Q）
- R as in Romeo（ロミオの R）
- S as in Sierra（シエラの S）
- T as in Tango（タンゴの T）
- U as in Uniform（ユニフォームの U）
- V as in Victor（ヴィクターの V）
- W as in Whiskey（ウイスキーの W）
- X as in X-ray（エックスレイの U）

- Y as in Yankee（ヤンキーの Y）
- Z as in Zulu（ズールーの Z）

→ 一般的に使われる通信用語

　アメリカで普通に使われている通信用語で、フォーマル度はやや落ちます。

- A as in Alice（アリスの A）
- B as in Boy（ボーイの B）
- C as in Charlie（チャーリーの C）
- D as in Dog（ドッグの D）
- E as in Easy（イーズィーの E）
- F as in Frank（フランクの F）
- G as in George（ジョージの G）
- H as in Henry（ヘンリーの H）
- I as in Ida（アイダの I）
- J as in John（ジョンの J）
- K as in Kate（ケイトの K）
- L as in Love（ラブの L）
- M as in Mary（メアリーの M）
- N as in New York（ニューヨークの N）
- O as in Ocean（オーシャンの O）
- P as in Peter（ピーターの P）
- Q as in Queen（クイーンの Q）
- R as in Robert（ロバートの R）
- S as in Sugar（シュガーの S）
- T as in Thomas（トーマスの T）
- U as in Utah（ユタの U）
- V as in Victor（ヴィクターの V）
- W as in William（ウィリアムの W）
- X as in X-ray（エックスレイの X）
- Y as in Young（ヤングの Y）
- Z as in Zebra（ゼブラの Z）

名乗った後でつないでもらう

TRACK 11

　電話口で自分の名前と会社名を伝えた後、話したい人につなげてもらうための表現には色々あります。自分の立場、電話をかけた相手との関係、その人の地位などを考慮して適切な表現を使うように心がけなければなりません。また、場合によっては、売り込みの電話ではないということも伝える必要があるでしょう。

> **カジュアル** **Kenji Yamamoto speaking.**
> 山本賢治です。

★ **ふつう** **This is Kenji Yamamoto from ABC Company speaking.**
ABC 社の山本賢治と申します。

★ **ふつう** **This is Mr. Kenji Yamamoto speaking. I'm with ABC Company.**
山本賢治と申します。ABC 社に勤めております。

★★ **わりとフォーマル** **This is Mr. Kenji Yamamoto speaking. I'm in charge of sales at ABC Company.**
山本賢治と申します。ABC 社で営業を担当しております。

> **カジュアル** **Can I speak to Mike Bush?**
> マイク・ブッシュと話せますか？

▶ NG 表現より少しはましですが、相手に Mr. をつけずに、呼び捨てにしているところがカジュアル過ぎます。

CHAPTER 1　電話

★ ふつう **May I** speak to Mr. Michael Bush?

マイケル・ブッシュ氏とお話しできますか？

> 誰かと話をしたいというリクエストをする際に最も普通に使われる表現です。相手の名前の前に敬称である Mr. をつけ、愛称の Mike を正式名の Michael に置き換えているので、礼をわきまえた表現と言えます。最後に please をつければ、★★（わりとフォーマル）の表現と同じフォーマル度に昇格します。

★★ わりと フォーマル **I would like to** speak to Mr. Michael Bush, **please**.

マイケル・ブッシュ氏とお話ししたいので、お願いします。

> I would は縮めると I'd となります。縮めないほうが、やや丁寧な言い方です。

★★ わりと フォーマル **Would you kindly** connect me with Mr. Michael Bush?

すみませんが、マイク・ブッシュ氏におつなぎいただけますでしょうか？

> Would で始め、please を意味する kindly も使っているので、かなりフォーマルな表現となります。

NG **Mike Bush, please.**

マイク・ブッシュをお願いします。

> please こそ入っていますが、最も礼を欠いた表現です。ビジネスでは決して使ってはいけません。

カジュアル **Thanks for calling. Please hold.**

お電話ありがとうございます。そのまま待ってください。

★ ふつう **Thank you for calling us. Please hold a moment.**

お電話いただきありがとうございます。そのままお待ちいただけますか。

> Thank you for calling. の代わりに、Thank you for your call. もよく使われます。

名乗った後でつないでもらう

★★ わりと フォーマル **Thank you so much for calling us, Mr. Yamamoto. Could you hold a moment?**

山本様、お電話いただきまして誠にありがとうございます。そのままお待ちいただけますか？

★★ わりと フォーマル **Thank you very much for calling, Mr. Yamamoto. Would you please hold the line?**

山本様、お電話いただきまして誠にありがとうございます。そのままお待ちいただけますでしょうか？

メッセージを受ける

アメリカでは、会社に電話をかけても 75% は離席していたり、外出していたりして相手と話せないと言われており、話せる確率は 25% しかないことになります。せっかくかけてくれた電話を無駄にしないためにも、電話を受けた人は、メッセージを確実に伝えるようにすることが大切です。メッセージの聞き漏らしをしない良い方法は、次のような伝言用のメモを作っておくことです。

Date（日付）：　　　　　　　　　　Time（時間）：

Caller's Name（相手のお名前）：　　To（電話の宛先）：

Message（メッセージ）：

それではメッセージを受ける際の表現をご紹介します。

カジュアル　Do you have any message?
何かメッセージはありますか？
> 親しい間柄でなければ使うべきではありません。

ふつう　May I take a message for him?
メッセージをお伺いしましょうか？
> これが一番普通の尋ね方です。

わりとフォーマル　I'm willing to take your message.
喜んでメッセージをお伺いいたします。
> メッセージを取る際に、このように言えば、相手は気持ち良く伝えてくれるでしょう。

かなりフォーマル　Would you mind leaving a message?
よろしければメッセージをお伺いいたしましょうか？

> この表現は相手がメッセージを残す手間に言及しています。「もしご面倒でなければ、メッセージをお残しになりますか」と相手に対する思いやりを含んだ丁寧な表現なので、お勧めです。

NG I don't mind taking your message.

メッセージを受けても構いませんよ。

> これは、言語道断と言えるほど失礼な言い方です。「メッセージを取るのは、とても面倒くさいけど、しょうがないから取ってやろうか」という意味合いを含んでいるからです。相手にいやな感じを与えてしまいますので、使わないでください。

カジュアル Sure. I'm just returning his call.

はい、お電話に対してコールバックしました。

★ ふつう Thank you. Please tell him that I'm returning his call.

ありがとう。お電話に対してコールバックしたと伝えていただけますか。

★★ わりとフォーマル That's very kind of you. Would you tell him that I'm returning his call?

それは、ご親切にありがとうございます。お電話をコールバックしたと、伝えていただけませんでしょうか?

★★★ かなりフォーマル Not at all. I would appreciate it very much if you could tell him that I returned his call.

全く問題ありません。折り返しお電話したと彼にお伝えいただければ、心から感謝いたします。

電話の目的を尋ねる

かかってきた電話をすべて受けなければならないわけではありません。売り込みの電話を英語で cold call と呼び、電話をかけてきた人のことを cold caller と呼びます。ビジネスですから、電話してきた目的を尋ねることは、受けるほうの当然の権利です。しかしそうは言っても、大事なお客様からの電話かもしれませんので、丁寧に理由を尋ねましょう。

★ ふつう **Will he know what this is about?**

どのような件についての電話か、存じ上げているでしょうか？

> かなり遠回しに尋ねているので、ビジネス会話で使っても問題はありません。しかしフォーマルと呼べるほどの上品さはありません。

★★ わりとフォーマル **What is this regarding?**

これは何の件についてですか？

> regarding は「〜に関して」を意味する前置詞で、主に文語で使われます。会話で使うと少し冷たい感じはしますが、ややフォーマルな表現です。

★★ わりとフォーマル **May I tell him what this is in reference to?**

どのような件に関しての電話か、お伝えしてもよろしいでしょうか？

> 間接的に電話の目的を尋ねています。May で始まり、in reference to（〜に関して）を使っているので、ややフォーマルな表現です。May I ask the purpose of your call, please?（お電話の目的をお尋ねしてもよろしいでしょうか？）と言っても、同じような意味になります。

かなりフォーマル **Would you mind** giving me the purpose of your call?

お電話の目的をお尋ねしても構いませんでしょうか？

> とてもフォーマルな表現です。このように上品に尋ねれば、相手も電話をかけた目的を気持ち良く答えてくれるはずです。

NG **Why** are you calling us?

なぜ電話をかけてきたのですか？

> これではまるで電話をしてきた相手を厳しく責め立てているような感じを与えてしまいます。とても失礼な質問なので、決して使わないようにしてください。

カジュアル It's about his recent order.

最近の注文に関してです。

ふつう I think so. The call is about his recent order.

ご存知だと思います。この電話は、最近いただいた注文についてです。

わりとフォーマル **Sure, you may.** I'm calling **regarding** his recent order.

もちろんです。この電話は、最近いただいたご注文についてです。

> Sure, you may. は「お尋ねしてもよろしいでしょうか」に対する答えの表現です。

わりとフォーマル **Certainly.** The purpose of my call is **regarding** the recent order we received.

もちろんです。私の電話の目的は、最近いただいたご注文に関するものです。

聞き返す

TRACK 14

電話で相手の言っていることがはっきり理解できないときには、Yes, yes と相槌を打ってはいけません。相手の言っていることに賛成していると取られるからです。わかったふりをして電話を続けることはせず、はっきりと聞き直すことが大切です。わからないままでいると、お互いに時間を無駄にしてしまいますし、結果として、お互いの会社に大きな不利益をもたらすことになってしまいます。

日本人にとって英語は母語ではないのですから、わからなくて当然だという、ある意味での開き直りを持って、「ゆっくり話してほしい」とか「もっと簡単な言葉で言い直してほしい」と言う勇気を持ってください。

カジュアル **I'm sorry, I don't understand.**

申し訳ありません。理解できません。

▷ 謝ってはいますが、やはりビジネスで使う表現としては少し丁寧さに欠けています。

★★ わりとフォーマル **Would you please repeat that?**

そのことをもう一度言っていただけますでしょうか。

▷ Would で始めて、please も入っていますので、ややフォーマルな言い方です。さっと口から出るように練習しておいて損はありません。

★★ わりとフォーマル **I'm afraid I'm not able to understand what you have just told me.**

申し訳ありませんが、たった今おっしゃったことが理解できません。

▷ I'm afraid は否定的なことを言う際の枕詞として使われます。repeat していただきたいとは言っていませんが、not able to understand（理解することができない）と言えば、相手はもっとわかりやすい、簡単な言葉を使って繰り返してくれます。

★★ **かなり　Would you mind** repeating what you've just
　　フォーマル said?

　　たった今おっしゃったことを再度言っていただいても構いませんでしょうか？

> Would you mind 〜 ing? は、とてもフォーマルな尋ね方なので、この表現を使えば相手に悪い印象は与えません。

　　NG　**Once more please.**

　　もう一度お願いします。

> 一見、丁寧な表現のように感じる方もいるかもしれませんが、ビジネスでは使わないようにしてください。ビジネスでは、通じればよいというわけではありません。

　　カジュアル **Have him call me, please.**

　　彼から電話をいただけますか。

> 直接的で、命令に近い表現です。

★　ふつう　**Certainly. I said that I need him to call me, please.**

　　もちろんです。彼から電話してほしいと言いました。

★★ わりと　**Sorry. Let me repeat what I told you. I said I
　　フォーマル need a call from him, preferably in the next hour.**

　　どうもすみません。私が言ったことを繰り返させていただきます。できれば、1時間以内に彼から電話をいただきたいのですが。

★★ わりと　**Not at all. I said that I'd like to get a return
　　フォーマル call, hopefully within an hour.**

　　全く構いませんよ。できれば、1時間以内に折り返しお電話をいただきたいと申し上げたのです。

電話を終える

TRACK 15

ビジネスの電話で、電話を切りたいときには注意する必要があります。いつも同じ表現ではなく、何種類かの言い方を使えるようにしておくといいでしょう。そうしないと、「この人は電話を切りたいときにはいつも同じ表現を使うな」と感づかれてしまうからです。「もうすぐ会議が始まってしまうので」とか、「（時差のある場合）あなたのほうの時間がとても遅くなったので」などが当たり障りのない表現でしょう。

カジュアル I'm really sorry, but I have to go.

大変申し訳ありませんが、行かなければなりません。

> 電話を切る理由を相手に伝えていないので、同僚との間でしたら構いませんが、お客様との会話で使ってはいけません。

★ **ふつう It's been nice talking with you. My meeting is going to start in a few minutes. Have a nice day.**

お話しできて嬉しかったです。会議が数分後に始まりますので。良い1日をお過ごしください。

> 「会議に出る必要がある（ので電話を切らなければならない）」ときちんと言っていますし、最後には Have a nice day. と締めているので、一般的に使うには十分な表現です。

★★ **わりと フォーマル I must attend to urgent business. It was really nice talking with you. Have a wonderful day.**

緊急の仕事をしなければなりません。お話しできてとても嬉しかったです。素晴らしい1日をお過ごしください。

> どのような緊急の仕事をしなければならないかまでは言っていませんが、理由は

述べていますし、その後の表現もフォーマルとして使うのに十分です。

かなりフォーマル **I understand it's almost midnight your time. I think I should let you go. It's been nice talking with you.**

そちらの時間では、深夜だと理解しております。あなたをもう解放してさしあげなければいけませんね。お話しできて嬉しかったです。

> 電話を切る理由を相手の立場から考えるようにしましょう。そうすれば、相手に悪い感情を与えずに切ることができます。

携帯電話を使っている場合には、次のような理由も使えます。

カジュアル **Sorry, my train has just arrived.**

すみません、ちょうど電車が到着しました。

ふつう **I'm afraid my battery is running out.**

申し訳ありませんが、バッテリーが切れかかっています。

わりとフォーマル **I'm awfully sorry, the reception is very poor.**

大変申し訳ありませんが、電波の受信がとても悪いので。

かなりフォーマル **Sorry for the inconvenience, but I'm heading into a tunnel and our reception might get cut off.**

申し訳ありませんが、トンネルに入るので、受信電波が切れるかもしれません。

NG **Sorry, but I have to take another call. Bye.**

すみませんが、他の電話に出なければなりません。さようなら。

> 現在話している相手よりも、別の電話のほうが大事だと言っているわけですから、相手を怒らせてしまいます。絶対に使ってはいけない表現です。

★ **ふつう** **Thank you. Nice talking to you, too.**
ありがとう。こちらもお話しできて楽しかったです。

★★ **わりとフォーマル** **Thank you for your thoughts. It was great talking to you, too.**
ご配慮いただきありがとうございます。こちらこそお話しできて、とても楽しかったです。

★★★ **かなりフォーマル** **Thank you for your consideration. It's been great talking to you, too.**
お気遣いいただきましてありがとうございます。こちらこそお話しできてとても嬉しかったです。

代表的なニックネーム

TRACK 16

　海外の人と仕事をする際に知っていたほうがよいことの1つに、「ニックネーム」と「元の名前」があります。その両者の結びつきが全く想像できないものもあれば、簡単に想像できるものもあります。丁寧に言いたいときには、元の名前を呼ぶようにしたほうがいいでしょう。ただし、たとえば William という仕事相手と仲が良くなってきて、相手が Bill と呼んでほしい（Please call me Bill.）とリクエストしてきた場合には、William と呼ぶのをやめて Bill と呼ぶようにしないと、かえって相手にいやな感じを与えることになってしまいます。

　ちなみに、Alex, Andy, Chris, Jackie などは男女共通して使われる代表的なニックネームです。

ニックネーム	元の名前
Alex アレックス	Alexander アレクサンダー、Alexandra アレクサンドラ
Andy アンディー	Andrew アンドリュー、Andrea アンドリア
Ann アン、Annie アニー	Anna アンナ
Betty ベティー、Beth ベス、Bess ベス、Liz リズ	Elizabeth エリザベス
Bill ビル、Billy ビリー、Willy ウィリー	William ウィリアム
Bob ボブ、Bobby ボビー、Rob ロブ	Robert ロバート
Chris クリス	Christopher クリストファー、Christine クリスティーン
Dan ダン、Danny ダニー	Daniel ダニエル
Dick ディック	Richard リチャード
Ed エド、Eddy エディー	Edward エドワード、Edwin エドウィン

Frank フランク	Franklin フランクリン、Francesco フランチェスコ
Fred フレッド、Freddy フレディー	Frederick フレデリック、Frederica フレデリカ
Greg グレッグ	Gregory グレゴリー
Jack ジャック、Jacky ジャッキー、**Jackie** ジャッキー	Jackson ジャクソン、Jacqueline ジャクリーン
Jenny, ジェニー、Jen ジェン	Jennifer ジェニファー
Jerry ジェリー	Gerald ジェラルド、Jeremy ジェレミー
Jonny ジョニー、Jack ジャック	John ジョン、Jonathan ジョナサン
Joe ジョー、Jose ホセ	Joseph ジョセフ
Ken ケン、Kenny ケニー	Kenneth ケネス
Mary メアリー、Lynn リン	Marilyn マリリン
Mike マイク、Mick ミック、Mickey ミッキー	Michael マイケル
Nick ニック、Nicky ニッキー	Nicholas ニコラス、Nicole ニコル
Pat パット、Patty パティー	Patrick パトリック、Patricia パトリシア
Sam サム、Sammy サミー	Samson サムソン、Samantha サマンサ
Shelly シェリー	Michelle ミシェル、Sheldon シェルドン
Steve スティーブ、Stevie スティービー	Stephanie ステファニー
Terry テリー	Theresa テレサ、Teresa テレサ、Terence テレンス
Theo セオ、Ted テッド、Teddy テディー	Theodore セオドール

COLUMN

代表的なニックネーム

COLUMN
電話番号の読み方

　電話番号を電話で伝えるのは、簡単なことではありません。たとえば、0404 と相手に使える際にオーフォーオーフォーと言うと 4444 と聞き違えられたりします。アメリカ人同士でも、この聞き違いがよくありました。私の秘書が相手の電話番号の 0 と 4 を聞き違えて私に伝えてきたことが数回あったので気づいたのです。0 はオーと言わずにゼロと発音すれば、4 と間違えられなくなります。0404 は、ゼロフォーゼロフォーと発音する癖をつけておけばいいのです。それと、13 をサーティーンと伸ばして発音しても相手は 30 と聞き取ってしまうことがあります。アメリカ人によっても、13 と 30 の伸ばし方もまちまちです。聞き違えないようにするためには、Is that one three or three zero?（それは 13 ですか、それとも 30 ですか？）と確かめるといいでしょう。アメリカ人でもこの聞き間違えが頻繁に起こるようで、こちらが聞き返すまでもなく、13 と言ったすぐ後で、ワンスリーとつけ加えたり、50 と言った後でファイブゼロと言ったりしてくれる人がいます。

　また、数字が 2 つ続くときには前にダブルをつけます。たとえば 22 であればダブルツー、88 であればダブルエイトと言います。同じ数字が 3 つ続くときにはトリプルをつけます。333 はトリプルスリー、555 はトリプルファイブと言います。

　4 桁の場合、数字は 2 つずつまとめて読むのが一般的です。2178 であれば、「ツーワンセブンエイト」ではなく「トウェンティーワン、セブンティーエイト」と読みます。2100 は「トウェンティーワン、ゼロゼロ」ではなく、「トウェンティーワンハンドレッド」と読みます。また、3000 なら、スリーゼロゼロゼロやスリートリプルゼロより、スリーサウザンドと読むのが普通です。実際に電話で数字を伝える際に参考にしてください。

CHAPTER 2

ミーティング

　ビジネスを進める上で、ミーティングはとても重要です。グローバルなミーティングの進め方にはルールがあり、各場面で使う表現もほぼ決まっています。これらの表現を学び、適切に使えば、ミーティングを進めていくことは難しくはありません。しかし、日本語の表現をそのまま直訳して使おうとすると、海外の人には意味が伝わらないことがよくあります。「郷に入っては郷に従え」のことわざにあるように、海外のルールに忠実に従うように心がけると、目的を達成することができます。

　ミーティングでは、だいたい次のような順に進めていきます。議長の自己紹介、会議の開始、参加者の紹介、欠席者の名前、目的、前回の議事録の朗読、前回以降の最新情報、その他の議題があるかの確認、議事項目の確認、役割説明、項目ごとの予定時間の割り当て、最初の項目、次の項目、別の人へのバトンタッチ、話し合った内容の確認、取り残した話題の確認、次の会議の予定、参加者へのお礼となります。

　IBM時代、海外の様々な会議に出席した中で心に残っているのは、何に対しても「反対」とか「問題だ」と言う出席者です。世界に製品を発表するための会議では、多くの国と部門の代表が出席しますが、各部門の利益を守るため、簡単に賛成はしてくれません。ある会議では当初、全部門の承認が得られないと製品を発表できない規則で進めていました。いくつかの部門が反対の立場を取り続けたので、これでは発表時期を逃がしてしまうと悟った議長が、今後は問題を提起した部門に、その問題を解決する責任を持ってもらうルールに変更しました。すると驚いたことに、今まで問題だと騒いでいた部門が一切何も言わなくなり、問題を取り下げたではありませんか。このとき、自分たちで問題を処理するのは面倒だと感じ、それなら同意のほうが楽だと考える部門が多いことがわかったのでした。

会議を始める

TRACK 17

社員同士で行う会議では、フォーマルな表現を使うとよそよそしくなり過ぎるので、あまり使う必要はありません。しかし高い役職の人が同席する場合には、ややフォーマルな表現を使う必要があります。

カジュアル Good morning [Good afternoon / Good evening], everyone.

皆さん、おはようございます［こんにちは／こんばんは］。

> 「朝から正午までが Good morning で、12時1分から Good afternoon」のように厳格に考える必要はありません。だいたいの感じで言えば十分です。

★ ふつう If we are all here, let's get started [let's start the meeting].

全員が揃っていたら、始めましょう。

★★ わりとフォーマル How are you, everyone? Good morning [Good afternoon]. Shall I start the meeting now?

おはようございます［こんにちは］。皆さんご機嫌いかがですか？会議を始めてもよろしいでしょうか。

★★★ かなりフォーマル If we have everybody, and unless you need more time for preparation, I would like to start the meeting.

皆さんお揃いで、準備にこれ以上時間が必要でないようでしたら、会議を開始させていただきます。

初めての参加者を紹介する

会議を開始する前には、初めて会議に参加する人のことを他の参加者に紹介します。必ずしも丁寧な表現を使って紹介しなければならないわけではありません。もちろん、職位がとても高い人の場合は★★★（かなりフォーマル）の表現を使うべきです。

カジュアル　Ms. Mari Yamada will be joining us from today.
山田麻里さんが、本日から参加します。

★ ふつう　**Please join me in welcoming Ms. Mari Yamada.**
皆さん、山田麻里さんの参加を歓迎しましょう。

★★ わりとフォーマル　**I'd like to introduce Ms. Mari Yamada.**
山田麻里さんをご紹介させていただきます。

★★★ かなりフォーマル　**It's a great pleasure to welcome Ms. Mari Yamada.**
山田麻里さんをお迎えできることは大きな喜びです。

欠席者の名前を挙げる

TRACK 18

会議を欠席する人の名前も全員に知らせる必要があります。その人の代行として誰かが出席するのであれば、そのことも知らせなければなりません。ただ事実だけを言えばいいのであって、欠席の理由を言う必要は特にありません。

★ ［ふつう］ **I'm afraid David Adams will not be here with us today.**

残念ですが、ディビッド・アダムスは今日、皆様とご一緒できません。

★★ ［わりとフォーマル］ **I have received apologies from David Adams for his absence.**

ディビッド・アダムスから欠席のお詫びの知らせを受け取っています。

★★★ ［かなりフォーマル］ **Unfortunately, David Adams will not be able to attend this meeting.**

残念ですが、ディビッド・アダムスはこの会議に出席することができません。

会議の目的を述べる

会議を開始するにあたっては、きちんとその目的を全員に知らせる必要があります。私は今までに何度か、会議に全く関係ない人が間違って部屋にいて、あわてて部屋を出ていくのを目撃したことがあります。

> **カジュアル** We're here today to discuss next year's budget allocation.

本日はここで、来年度の予算の分配について討論いたします。

> allocation は「割り当て、分配」の意味の名詞で、動詞は allocate「割り当てる」となります。

★ **ふつう** Our main objective today is to discuss next year's budget allocation.

本日の主な目的は、来年度の予算の分配について討論することです。

★★ **わりとフォーマル** I'd like to make sure that everybody understands the purpose of today's meeting is to discuss next year's budget allocation.

今日の会議の目的は来年度の予算の分配について討論することだとご理解なさっているかどうか、確認させていただきたいと思います。

★★★ **かなりフォーマル** Let me explain the major objective of today's meeting, so that we will be able to get your constructive suggestions. The objective is to discuss next year's budget allocation.

今日の会議の主目的をご説明し、建設的なご提案をいただきたいと思います。本日の目的は、来年の予算配分について討論することです。

前回の議事録を読む

　定例の会議では、前回の議事録の要約を冒頭に読み上げて参加者全員に知らせなければなりません。それまでのいきさつを頭に入れてから今回の会議を開催しないと、もう結論が出ている事項をまた取り上げたりする参加者がいるかもしれないからです。

★ ［ふつう］ **First, let's go over the report from the last meeting.**

最初に、前回の会議の報告書にざっと目を通しましょう。

★★ ［わりとフォーマル］ **To begin with, I'd like to quickly go through the minutes of our last meeting.**

始めるにあたって、前回の会議の議事録にざっと目を通したいと思います。

★★★ ［かなりフォーマル］ **Before starting today's meeting, I would like to propose a quick review of the last meeting.**

本日の会議を始める前に、前回の会議の見直しをご提案したいと思います。

最新状況を説明する

TRACK 19

前回の会議より後に起こった最新状況を説明することはとても大切です。最新状況を説明する担当を決めておくと、本人も事前調査を行い、情報を入手して会議に臨むようになります。

★ 〔ふつう〕 **Bill, can you tell us how the company-wide budget plans are progressing?**

ビル、全社的な予算計画がどのように進んでいるか教えてくれますか？

★★ 〔わりとフォーマル〕 **Mr. William Conklin, could you update us on the company-wide budget plans?**

ウィリアム・コンクリンさん、全社的な予算計画に関しての最新情報を教えていただけますか？

★★★ 〔かなりフォーマル〕 **Mr. William Conklin, would you kindly brief us on how the company-wide budget plans are coming along?**

ウィリアム・コンクリンさん、全社的な予算計画がどのように進んでいるか、簡単にご説明いただけませんでしょうか？

議事項目を確認する

その会議で取り上げるすべての議事項目について簡単に紹介するといいでしょう。必ずしも議事項目の順番に会議を進めるのではなく、参加者の同意を得て最重要項目を最初に持ってくるのもいいでしょう。

> [カジュアル] **Have you all received the agenda by email?**
>
> 皆さん、本日の議事項目をメールで受け取りましたか？

> [ふつう] **I hope** you have all received the agenda by email.
>
> 本日の議事項目をメールで全員が受け取っているとよいのですが。

> [わりとフォーマル] **Let me** explain the agenda in detail. There are four items. First,… second,… third, and last,…
>
> 議事項目の詳細をご説明させていただきます。項目は4つあります。最初は〜、2番目は〜、3番目は〜、最後は〜です。

> [かなりフォーマル] **I would like to** explain today's agenda. There are four items for discussion. They are…
>
> 本日の議事項目についてご説明したいと思います。討論する議事項目は4つございます。それらは〜。

他の議題がないことを確認する

議事項目で「その他の項目」を any other business と言い、略して AOB と呼びます。「討論すべき項目」は a discussion item と言います。item は単なる項目のことですが、a discussion issue となると、お互いが力を合わせて解決すべき問題を意味します。

★ **ふつう** **Is there AOB [any other business]?**
その他の議題はありませんか？

★ **ふつう** **Shall we get down to business?**
会議を始めましょうか？

★★ **わりとフォーマル** **So, if everybody agrees there is nothing else we need to discuss, let's move on to today's agenda.**
それでは、これ以上話すことがないと同意いただけるようでしたら、本日の議題に移ることにしましょう。

役割を説明する

　会議では、議長がすべてを仕切ろうとすると大変なので、他の参加者にも何か役割を担当してもらう必要があります。特に、議事録を取るのは大役なので、確実にその仕事を行ってくれるという言質を取っておくことが大切です。

★ ［ふつう］ **Don has agreed to take the minutes.**
ドンから、議事録を取る同意をもらっています。

★★ ［わりとフォーマル］ **Ms. Mary Smith, will you be able to take the minutes for us?**
メアリー・スミスさん、我々のために議事録を取ることは可能でしょうか？

★★★ ［かなりフォーマル］ **Mr. John White, would you mind taking the minutes of the meeting?**
ジョン・ホワイトさん、議事録を取っていただいても構いませんでしょうか？

★ ［ふつう］ **Beth, will you lead Item 1?**
ベス、第1項目を始めてくれますか？

> Beth は Elizabeth のニックネームです。

★★ ［わりとフォーマル］ **Ms. Elizabeth Smith has kindly agreed to lead us on Item 1.**
エリザベス・スミスさんから、第1項目を始めていただくことに同意をいただいております。

かなりフォーマル

Fortunately, Mr. David Brown is volunteering to be the first speaker on Item 1.

幸運にも、デビッド・ブラウン氏が自ら志願して、第1項目の最初のスピーカーになってくださいます。

項目ごとにかける時間を決める

項目ごとにどれだけ時間をかけるか、全体の会議時間から割り出して決めておくことは大切です。タイムキーパーを決めておき、その指示に従って進めるとよいでしょう。会議を時間通りに進めていく上で障害になるのは、特にアメリカ人で多いタイプで、会議に関係のない話を延々とする人です。議長の大事な仕事は、この手のだらだらと話し続ける人に対して、現在取り上げている話題と関係ない話をやめさせることです。そうしないと、会議の時間が延びて、他の出席者たちの時間を無駄にしてしまうからです。

カジュアル　There will be a ten-minute time limit for each item.
それぞれの項目には 10 分の時間制限があります。

ふつう　Let's make sure we finish each item within ten minutes.
それぞれの項目を 10 分以内で確実に終了することを確認させていただきます。

わりとフォーマル　I'd like to suggest we keep each item to ten minutes.
それぞれの項目は 10 分以内に収めることを提案させていただきます。

最初の項目を取り上げる

議長が議題にしたい項目以外に、どうしても別の項目を最初に取り上げてほしいという参加者もいるかもしれません。最初に取り上げる項目について、参加者全員の確認を取ってから行うほうがいいでしょう。

> **カジュアル** **Let's start with Item 1.**
> 第1項目から始めましょう。

> **ふつう** **Why don't we start with Item 1?**
> 第1項目から始めませんか？

> **わりとフォーマル** **If there is no other opinion, shall we start with Item 1?**
> 他にご意見がないようでしたら、第1項目から始めませんか？

> **かなりフォーマル** **I would like to suggest starting with Item 1.**
> 第1項目から始めることを提案させていただきます。

次の項目に移る

最初の項目に関して、全員が満足してそれ以上話し合うことはないという確認を行ってから、次の項目に移らなければいけません。ただし話し合いに時間がかかりそうな問題が残っている場合には、後で取り上げるか、次の会議で話し合うことにするのもいいでしょう。「次の項目に移る」は move on to the next item を使います。

★ ふつう **I think that takes care of the first item. Let's move on to the next item.**

これで、最初の項目は済んだと思います。次の項目に移りましょう。

★★ わりと フォーマル **If nobody has anything else to add, let's move on from the first item.**

もし、どなたからも追加がなければ、第1項目から次へ移りましょう。

★★ わりと フォーマル **If everybody agrees, shall we go on to the next item on today's agenda?**

もし、皆さんが同意してくださるようでしたら、本日の議事項目の次の項目に移ってもよろしいですか？

★★★ かなり フォーマル **Now that we've discussed Item 1, I would like to move on to the second item.**

これで第1項目は討論しましたので、第2項目へ移りたいと思います。

他の人にバトンを渡す

TRACK 23

議長が1人で会議を進めるのはなかなか大変です。項目によっては、一番知識を持っている人や専門家に時々バトンタッチをするといいでしょう。しかし最後のまとめでは、再度議長が登場して締めくくります。

★ ふつう **Next, Dick is going to take us through…**

次は、ディックが〜を担当してくれます。

> Dick は Richard のニックネームです。

★★ わりとフォーマル **Now, I'd like to introduce Mr. Richard Goldstein who is going to lead us on the next item.**

それでは、次の項目を担当してくれるリチャード・ゴールドスタイン氏をご紹介します。

> Dick を正式名の Richard に変え、敬称の Mr. をつけているので、例をわきまえた表現です。

話し合ったことを要約する

TRACK 23

　最後に話し合ったことをきちんと要約するのはとても大事です。話し合った項目順に、まとめるといいでしょう。
　「もし何か抜けていたら指摘してほしい」と言って全員に確認すれば、参加者の気持ちを反映することができます。

★ **ふつう** **Let me quickly go over today's main points.**
本日の主要なポイントをおさらいしましょう。

★★ **わりとフォーマル** **Shall I go over the main points?**
主要ポイントをおさらいしましょうか？

★★ **わりとフォーマル** **Before we close today's meeting, I'd like to summarize the main points.**
本日の会議を終了する前に、主要ポイントを要約したいと思います。

★ **ふつう** **Please let me know if I missed anything.**
もし何か抜けていましたら、知らせてください。

★★★ **かなりフォーマル** **I would appreciate it very much if you would tell me what I might be missing.**
私が何か抜けていることがありましたら、そのことを言っていただければ、心から感謝いたします。

会議を終わりにしていいかを確認する

　終了する際には色々な表現があります。発音しやすいものを選び、考えなくてもすぐに口から出るまで、練習しておくといいでしょう。今回はあるテーマについて討論できなかったという場合には、懸案事項として次回に回すといいでしょう。

★ 【ふつう】 **Why don't we** discuss that matter in the next meeting?

その件は次の会議で話しませんか？

★ 【ふつう】 **Let's** bring this to a close for today.

これで本日は終わりにしましょう。

★★ 【わりとフォーマル】 **If there are no other comments, I'd like to** wrap this meeting up.

もし他にコメントがないようでしたら、これで会議を終わりにしたいと思います。

次の会議の予定を決める

TRACK 24

　次の会議を決めるために、参加者の都合の良い日時を確認しましょう。そのときに決まらないようであれば、会議を終えた後にメールで各人の都合の良い候補日時を出し合い、最も多くの人が参加できる日時を議長が選び、全員に知らせるといいでしょう。

★ ふつう **Can we** set the date for the next meeting, **please**?

次の会議の日程を決めませんか？

★★ わりとフォーマル **If everybody agrees, we'd like to** set the date for the next meeting.

もし全員が同意なさるようでしたら、次の会議の日程を設定したいと思います。

★ ふつう **What about** the following Friday?

次の金曜日はどうですか？

★★ わりとフォーマル **I'd like to** suggest the following Friday.

次の金曜日を提案させていただきます。

★ ふつう **Let's** next meet on Friday the 21st.

金曜日の 21 日にお会いしましょう。

★★ わりとフォーマル **I need to make sure that** we'll meet on Friday the 21st.

金曜日の 21 日にお会いすることを確認させていただきます。

CHAPTER 2　ミーティング

参加者に感謝する

　参加してくれた全員に感謝の気持ちをきちんと知らせることはとても大切です。社内の人間に対してわざわざ感謝の気持ちを伝えることはないと考えている日本人もいますが、社内の人だからこそ丁寧な対応を心がけることで、ビジネスをスムーズに進めることができるでしょう。

★ 【ふつう】 **Thank you all for attending.**
皆さん、ご参加ありがとうございます。

★★ 【わりとフォーマル】 **We are grateful to you for your participation.**
ご参加いただきまして、誠にありがとうございます。

★★ 【かなりフォーマル】 **We'd like to express our sincere gratitude to all participants for taking time to attend this meeting.**
お時間を取ってこの会議にご参加いただいた皆様に、心から感謝の意を述べさせていただきます。

会議を終了する

　会議を何となく流れ解散で終わらせる日本人議長が時々いますが、会議の終了をきちんと宣言することは重要です。次の会議の開催日が決まっていればそのことを知らせるか、日程を後でメールを使って知らせるようにするといいでしょう。

★ [ふつう] **The meeting is over.**
会議は終了しました。

★ [ふつう] **The meeting is finished. We'll see each other next on Friday the 21st.**
会議は終了しました。次は21日の金曜日にお会いしましょう。

★★ [わりとフォーマル] **I'd like to declare the meeting closed.**
会議が終了したことを宣言させていただきます。

★★ [わりとフォーマル] **That draws our meeting to a close.**
これで会議は終了となります。

CHAPTER 3

雑談（スモールトーク）

　会議を開始する前やコーヒー・ブレイクの間にちょっとした雑談（スモールトーク）をすると、ビジネスがスムーズに進みやすくなるものです。しかし、話題には十分に注意を払って選ばなければいけません。よく言われているように、宗教、政治、婚姻関係や、性的な話題は避けなければなりません。宗教上の問題を取り上げるとお互い感情的になってしまうことがあるし、「日本人は無神論者です」などと言うと、相手から信用できないと思われたりします。婚姻関係について尋ねると、「結婚はしているけれども、今は別居していて、同性のパートナーと同棲している」などと返ってくることもあります。

　お勧めの話題は、天気、スポーツ、食べ物、映画、本、上品なジョークなどです。

　スモールトークをする際に注意すべき5項目を挙げておきますので、しっかりと覚えておきましょう。

● **親しみやすい、きさくな態度を取る**
　もったいぶったり、相手を見下したりするような言動や態度は取らない
● **同意し、反対意見を言わない**
　相手の揚げ足を取ったり、反論したりしない。たとえば相手のジョークに対して Not funny. などと言うと、相手が話をする意欲をそいでしまう
● **個人的な情報を時々打ち明ける**
　自分に関する話を少しずつ明らかにして、親近感を持ってもらう
● **携帯を見ながら話さない**
　話すときは携帯の画面ではなく、しっかりと相手を見る
● **いつも笑顔を絶やさない**
　体調が悪くても、疲れていても、いつでも笑顔を保つようにする

きっかけの表現

TRACK 26

　初対面の人や見知らぬ人と話す際には、決していきなり Who are you?（あなたは誰ですか？）を使ってはいけません。これからご紹介する表現を使って、始めに会話のきっかけを作ることをお勧めします。その後で、少しずつ別の話に発展させていきましょう。

カジュアル **Where are you from?**
どこから来たのですか？

★ **わりとフォーマル** **May I ask where you are from?**
どちらから来たのかお尋ねしてもよろしいでしょうか？

カジュアル **Do you have a minute for a quick talk [chat]?**
ちょっとお話しする時間はありますか？

カジュアル **Can I talk with you a moment?**
しばらくお話しできますか？

★ **わりとフォーマル** **Would it be possible to talk with you for a minute?**
しばらくお話しすることは可能でしょうか？

★★ **かなりフォーマル** **Would you mind speaking with me for a minute?**
しばらくお話しさせていただいても構わないでしょうか？

| カジュアル | **How was your day?**
今日はどうでしたか？

★★ | わりとフォーマル | **May I ask how your day was?**
今日がどんなだったかお聞きしてもよろしいでしょうか？

| カジュアル | **Is this seat available?**
この席は空いていますか？

★ | ふつう | **May I sit here?**
ここに座ってもよろしいでしょうか？

| カジュアル | **It's a fine day, isn't it?**
今日はいい天気じゃないですか？

★ | ふつう | **What a fine day!**
今日はいい天気ですね。

きっかけの表現

次の話題に移る表現

TRACK 26

　今まで話していた話題から別の話題に移るときの表現を知っていると、話題が盛り上がります。こうした言葉を使うことによって、話題をスムーズに移行できますし、相手も話題が変わることを予想して、準備して聞いてくれるでしょう。

★★ わりとフォーマル **By the way**　ところで

★★ わりとフォーマル **Incidentally**　ところで

★★ わりとフォーマル **Speaking of…**　〜と言えば

★★ わりとフォーマル **That reminds me of…**　それで〜を思い出しました

★★ わりとフォーマル **In short**　短く言いますと

★★ わりとフォーマル **In other words**　換言しますと

★★ わりとフォーマル **It follows that…**　結果として〜になります

★★ わりとフォーマル **It boils down to…**　結局は〜ということです

★★ わりとフォーマル **Consequently**　従って

相槌を打つ

話題を盛り上げるためには、タイミング良く相槌を打つことが大切です。相手の言ったことに反応すると、相手もさらに話してみようという気持ちになります。また、話の内容に感激したり、ジョークを褒めたりするのもいいでしょう。

★ **ふつう** **I think so too.** 私もそう思います。

★★ **わりとフォーマル** **I believe so too.** 私もそうだと思います。

カジュアル **I'll be darned.** びっくりしました。

★ **ふつう** **I'm amazed.** いやあ、びっくりしました。

カジュアル **That's really funny.** それは本当に面白いですね。

★ **ふつう** **That's a great joke.** それは素晴らしいジョークですね。

★ **ふつう** **Is that right?** それは本当ですか？

★ **ふつう** **Really?** 本当？

★ **ふつう** **That's amazing.** それは素晴らしいですね。

★★ **わりとフォーマル** **I am impressed.** とても感動しました。

別れ際の表現

TRACK 27

　数分間しか話さなかったとしても、別れる際には気持ち良く、その会話を楽しんだという気持ちを相手に伝えることが大切です。無言で去っていくことは、マナー違反になります。

カジュアル **Nice talking to [with] you.**
お話しできて良かったです。

★ **ふつう** **It was great talking to [with] you.**
お話しできてとても良かったです。

カジュアル **I enjoyed talking with you.**
お話しできて楽しかったです。

★ **ふつう** **I had a wonderful time talking with you.**
お話しできて素晴らしい時間を過ごすことができました。

★★ **わりとフォーマル** **The pleasure is mine.**
こちらこそとても楽しかったです。

★★ **かなりフォーマル** **The pleasure is all mine.**
こちらこそ、ものすごく楽しかったです。

★★ **かなりフォーマル** **You're quite welcome.**
どういたしまして。

| カジュアル | **Hope to see you sometime soon.** |

またいつかお会いしたいですね。

★ | ふつう | **I hope I can see you soon.**

またすぐにお会いできることを期待しております。

| カジュアル | **Here's my card.**　これが私の名刺です。

★ | ふつう | **Please take my card.**　私の名刺を受け取ってください。

★ | ふつう | **Please give me a call when you have a chance.**

機会がありましたら、電話ください。

★ | わりとフォーマル | **I appreciate your calling me.**

お電話いただけたらとても嬉しいです。

| カジュアル | **Let's keep in touch.**　連絡を取り合いましょう。

★ | ふつう | **I hope we can stay in touch.**

連絡を取り合えればいいですね。

| カジュアル | **Take care now.**　じゃあ気をつけて。

★ | ふつう | **Please take care.**　お気をつけください。

★ | ふつう | **I wish you all the best.**　幸運をお祈りします。

別れ際の表現

空港の搭乗場所で

TRACK 28

　雑談と言えば、空港の搭乗待合室では様々な出会いがあります。同じ便に乗る人たちは、遅延時間の確認などをきっかけにして徐々に話に花を咲かせることが多いものです。どこの国から来たのか、どこまで行くのかなどが主な話題になります。

カジュアル **Is this seat taken?**
この席には誰か座っていますか？

★ **ふつう** **May I sit here?**
ここに座ってもよろしいですか？

カジュアル **I heard it's about a 15-minute delay.**
だいたい15分くらい遅れると聞きました。

★ **ふつう** **I believe the delay is about 15 minutes.**
遅れは、15分くらいだと思います。

★★ **わりと フォーマル** **According to the announcement, there will be a 15-minute delay.**
アナウンスによりますと、15分の遅れだそうです。

カジュアル **That's not too bad.**
それは悪くないですね。

78　CHAPTER 3　雑談（スモールトーク）

★ ふつう **I think I can live with that.**
それなら、何とか我慢できそうですね。

カジュアル **Where is your final destination? Is it Chicago?**
最終目的地はどこですか？　シカゴですか？

★ ふつう **Is your final destination Chicago?**
最終目的地はシカゴですか？

★ わりと フォーマル **May I ask if your final destination is Chicago?**
最終目的地はシカゴかお尋ねしてもよろしいですか？

カジュアル **You're right. How about you?**
はい、その通りです。あなたはいかがですか？

★ ふつう **You guessed right.**
ご推察の通りです。

★ わりと フォーマル **You sure may. May I ask your destination too?**
もちろんです。あなたの目的地もお聞きしてよろしいでしょうか？

▸ You sure may. は、May I ask 〜？に対する答えの表現です。

カジュアル **I'm going to Chicago too.**
私もシカゴに行きます。

★ ふつう **My destination is also Chicago.**
私の目的地もシカゴです。

空港の搭乗場所で

カジュアル **I came from Japan to buy beef in Chicago.**

私はシカゴでビーフを買うために日本から来ました。

★ **わりと フォーマル** **My profession is purchasing American beef to be sold in Japan.**

私の仕事はアメリカのビーフを購入して日本で売ることです。

カジュアル **That's great.**

それは素晴らしい。

★ **ふつう** **That sounds like an interesting job.**

それは、興味深いお仕事のようですね。

★ **わりと フォーマル** **I assume that your profession is really interesting.**

あなたのご職業はとても興味深いものでしょうね。

カジュアル **What's your job?**

仕事は何ですか？

★ **ふつう** **What do you do for a living?**

お仕事は何をなさっていますか？

★ **わりと フォーマル** **Incidentally, may I ask what line of business you are in?**

ところで、どのような種類のお仕事かお尋ねしてもよろしいでしょうか？

> Incidentally は、「ついでながら、ところで」という表現です。また、line は「商売、職業」を意味する硬い言葉です。

★ [ふつう] **I'm an IT engineer. I develop software programs.**
私は IT のエンジニアです。ソフトウエア・プログラムを開発しています。

★★ [わりとフォーマル] **My profession is IT software development.**
私の仕事は IT ソフトウエアの開発です。

★ [ふつう] **Our flight will take off soon. It was nice talking with you.**
そろそろ飛行機が離陸しますね。お話しできて楽しかったです。

★★ [わりとフォーマル] **I assume that it's about time for our flight to take off. I appreciate your keeping me company.**
そろそろ飛行機が離陸するようですね。お付き合いいただきまして感謝いたします。

› companionship という語を使うと、性的な意味を持つ場合があるので、注意しましょう。

★ [ふつう] **I enjoyed talking to you, too.**
こちらこそお話しできて楽しかったです。

★★ [わりとフォーマル] **I appreciated your company as well.**
こちらこそお付き合いいただいたことにとても感謝いたします。

夏休みについて

TRACK 29

　同僚の間でよく話題になるのが夏休みのことです。どこに行く予定かとか、私は昨年スイスに家族旅行をしたけれど素晴らしかったとか、アメリカでお勧めの場所はどこかとか、様々な展開があります。

★ **ふつう** **Do you have any vacation plans for the summer?**
何か夏休みの計画はありますか？

★★ **わりとフォーマル** **May I ask if you have any vacation plans for this summer?**
今年、何か夏休みの計画があるかお聞きしてもよろしいですか？

★ **ふつう** **Yes, we do. We'll be spending a week in Grand Canyon National Park.**
はい、グランドキャニオン国立公園に1週間滞在します。

★★ **わりとフォーマル** **Of course you may. Our whole family will be vacationing for a week in Grand Canyon National Park.**
もちろん、構いませんよ。家族全員で1週間、グランドキャニオン国立公園で休暇を取る予定です。

▶ Of course you may. は、May I ask 〜？に対する答えの表現です。

カジュアル **Are you planning to drive all the way there from New York?**
ニューヨークからそこまで、ずっと運転していくのですか？

★ ふつう **Will you** drive all the way there from New York?
ニューヨークからそこまで、ずっと運転していらっしゃるのですか？

カジュアル **We fly** from New York to Flagstaff and rent a motor home from there.
ニューヨークからフラッグスタッフまで飛行機で行って、そこでモーターホームを借ります。

★ ふつう **We'll be flying** from New York to Flagstaff and rent a motor home from there.
ニューヨークからフラッグスタッフまで飛行機で行き、そこでモーターホームを借りる予定です。

▸ motor home は、旅行・キャンプ用の移動住宅自動車です。

カジュアル **We'll take** a helicopter tour that lands at the bottom of the canyon.
渓谷の底に着陸するヘリのツアーに参加します。

★ わりと フォーマル **We're scheduled to** take a helicopter tour landing at the bottom of the canyon.
渓谷の底に着陸するヘリコプター・ツアーに参加する予定です。

★ ふつう **Have a great trip.** 素晴らしい休暇を過ごしてください。

★ ふつう **Safe travels.** 気をつけて旅をしてください。

★ わりと フォーマル **I hope** you have a wonderful vacation.
素晴らしい休暇をお過ごしになることを祈っております。

通勤方法について

TRACK 30

　同僚同士の会話となると、住んでいる場所や、通勤の方法や時間などを尋ね合うのがごく一般的な話題ではないでしょうか。そこから発展して、家の近くの店などについて雑談するのもいいでしょう。

★ [ふつう] **Where do you live?**
どこにお住まいですか？

★★ [わりとフォーマル] **May I ask where you live?**
どこにお住まいかお聞きしてもよろしいでしょうか？

★ [ふつう] **I live in the next village over.**
私は隣の町に住んでいます。

★★ [わりとフォーマル] **I live in a condominium in the next village.**
私は隣町のマンションに住んでおります。

★ [ふつう] **I see. How do you come to work?**
そうですか。職場にはどのように来るのですか？

★★ [わりとフォーマル] **I thought so. May I ask how you commute?**
そうだと思いました。どのように通勤されているかお聞きしてもよろしいでしょうか？

★ [ふつう] **I drive to work. It's only a 20-minute drive.**

私は車で来ています。ほんの20分の運転です。

★ わりと フォーマル **I commute by car. Luckily, it takes only 20 minutes.**

私は車で通勤しています。幸い、ほんの20分しかかかりません。

★ ふつう **What kind of car do you drive?**

どんな種類の車を運転しているのですか？

★ わりと フォーマル **May I ask what make of car you drive?**

どのメーカーの車を運転なさっているのですか？

> make of car は「〜製の車」の意味。フォーマルな表現です。

★ ふつう **I drive a Toyota.**

トヨタ車を運転しています。

> a Toyota で「1台のトヨタ車」を意味します。2台の場合には two Toyotas と言います。

★ わりと フォーマル **The make of my car is Toyota.**

車のメーカーはトヨタです。

★ ふつう **Now it's my turn to ask you.**

今度は私が質問する番です。

★ わりと フォーマル **Well, I'd like to ask you some similar questions.**

それでは、同じような質問をさせていただきます。

通勤方法について　85

★ ふつう **How do you come to work?**

仕事場にはどのように来るのですか？

★★ わりと
フォーマル **May I ask how you commute?**

どのように通勤なさっているかご質問してもよろしいでしょうか？

★ ふつう **I take a train from Grand Central (Terminal) to White Plains, then I take a bus. It takes just an hour in all.**

グランドセントラル駅からホワイトプレーンズ駅まで電車で来て、それからバスに乗ります。全部でちょうど1時間かかります。

★★ わりと
フォーマル **I commute from Grand Central (Terminal) to White Plains by the Metro-North train, then I take a bus. My total commuting time is just one hour.**

グランドセントラル駅からメトロノースに乗ってホワイトプレーンズ駅まで来て、それからバスに乗り換えます。通勤時間は合計でちょうど1時間です。

好きなレストランや食べ物

TRACK 31

食べ物の話は雑談に持ってこいです。共通の食の好みを知ることもできれば、接待にぴったりのレストランを教えてもらえることもあります。また、食事制限がある宗教もあるので、話し相手の信仰について知るきっかけにもなります。

★ ふつう **I've been to Grand Central Oyster Bar & Restaurant several times. Their seafood is delicious.**

私は、グランドセントラルのオイスター・バーに数回行ったことがあります。あそこのシーフードはとてもおいしいですね。

★ わりとフォーマル **Luckily I had the chance to dine at Grand Central Oyster Bar & Restaurant a few times. Their seafood is very delicious.**

運良く、グランドセントラルのオイスター・バーで、何回か食事をする機会を得ました。あそこのシーフードはとてもおいしいですね。

★ ふつう **You're right. I like their cherrystone clams and oysters.**

その通りです。チェリーストーン・クラムとオイスターが私の好物です。

★ わりとフォーマル **I couldn't agree with you more. Their cherrystone clams and oysters are my favorites.**

これ以上同意できないくらい同意します。チェリーストーン・

クラムとオイスターが私の好物です。

★ ふつう **I see. I like their chocolate mousse and cheesecake.**

そうですね。私はチョコレートムースとチーズケーキが好きです。

★ わりと
フォーマル **Well, my favorites are their chocolate mousse and cheesecake.**

そうですね、私の好物はチョコレートムースとチーズケーキです。

カジュアル **You must have a sweet tooth.**

あなたは甘党に違いありませんね。

★ ふつう **I'm quite sure that you have a sweet tooth.**

あなたは間違いなく甘党ですね。

カジュアル **You hit the nail on the head.**

図星ですね。

★ わりと
★ フォーマル **I couldn't agree with you more.**

全く同感です。

天候の話題

TRACK 32

雑談の話題として最もよく取り上げられるのが天候のことでしょう。宗教や婚姻関係のように、話題にして問題を起こす可能性はありません。その日の天気が良かったことを話したり、週末の天気予報について述べたりと色々なバリエーションがあります。

カジュアル **Don't you think it's a wonderful day to work inside?**

屋内で仕事するには、最高の日だと思いませんか？

カジュアル **Can I say it's a wonderful day to work inside?**

屋内で仕事するには、最高の日だと言ってもいいでしょうか？

> ひどい天気でも前向きにとらえた、ユーモアのある表現です。

カジュアル **I agree with you 100%.**

100％同意します。

★ **ふつう** **That's a very positive way of thinking.**

それはとても前向きな考え方ですね。

カジュアル **What's the weather forecast for tomorrow?**

明日の天気予報はどうなっていますか？

> 日本のテレビやラジオでは、天気予報のことを weather report と呼ぶことがありますが、report とは過ぎたことの報告の意味なので、weather forecast でなければ間違いです。

★ 〖ふつう〗 **Do you happen to know** what the weather is like tomorrow?

明日の天気予報を、ひょっとしてご存じですか？

★ 〖ふつう〗 **The forecast says** it'll be snowing all day tomorrow.

天気予報では、明日は１日中雪になると言っています。

★★ 〖わりとフォーマル〗 **According to the latest forecast,** we'll have snow all day tomorrow.

天気予報によると、明日は１日中雪だそうです。

★ 〖ふつう〗 **What's your plan for tomorrow?**

あなたの明日の予定はどうなっていますか？

★★ 〖わりとフォーマル〗 **Now, may I ask** what your plan is for tomorrow?

それでは、あなたの明日のご予定をお聞きしてもよろしいでしょうか？

★ 〖ふつう〗 **We're planning to** play golf tomorrow, but considering the weather forecast we had better cancel it.

明日はゴルフをする予定ですが、天気予報から考えるとキャンセルしたほうがよさそうですね。

› considering は「〜を考慮すると」の意味を表します。

★★ [わりと フォーマル] **We planned a game of golf tomorrow. On second thought, it might be better to cancel it considering the weather forecast.**

残念ながら、明日はゴルフをワンラウンドする予定を立てていました。しかし考え直してみると、天気予報から考えて、キャンセルしたほうがよさそうですね。

★ [カジュアル] **I think you had better do that.**

そうすべきだと思いますね。

★★ [わりと フォーマル] **I'm afraid you should do so.**

残念ですが、そうすべきでしょうね。

★ [ふつう] **Please enjoy your skiing tomorrow.**

明日はスキーを楽しんでください。

★★ [わりと フォーマル] **I hope you'll have a wonderful day of skiing tomorrow.**

明日はスキーで素晴らしい1日をお過ごしください。

現在の仕事を尋ねる

TRACK 33

ビジネス関連のパーティーでは、仕事に関する話題が中心になります。しかし、質問する際には表現に注意しなければなりません。相手の地位がとても高いような場合もあるので、丁寧な表現を使っておけば間違いはありません。

カジュアル　What do you do?

何をしているのですか？

> これは初対面の人に対しては、かなりぶしつけな質問なので、使わないほうがいいでしょう。しかし、同じ会社の人や近所の人に対しては使うことができます。

★ **ふつう　What's your occupation?**

あなたの仕事は何ですか？

> このほうが少しまともな質問です。しかしこの表現でも、あまりに直接的なので、丁寧だとは言えません。vocation だともう少し硬い言葉で、「天職、自分がやりたいと思っている仕事」を意味します。例）She found her true vocation as a painter.（彼女は、画家こそが本当の天職だと悟った）

★ **ふつう　What do you do for a living?**

お仕事は何をなさっていますか？

> do for a living で「生計を立てる」を意味します。この表現は、ごく普通にビジネスパーソンの間で使われます。

★★ **わりとフォーマル　May I ask what line of business you are in?**

どのような職業に携わっておられるのか、お尋ねしてもよろしいでしょうか？

★★★ **かなりフォーマル　Would it be all right to ask you what line of business you are in?**

92　CHAPTER 3　雑談（スモールトーク）

どのような職業に携わっておられるのか、お尋ねすることは可能でしょうか？

かなりフォーマル **Would you mind if I ask what your profession is?**

あなたのご職業をお尋ねしても構わないでしょうか？

> profession とは、長い年月の専門教育や技術を必要とする職業のことです。例）a medical profession（医療の職業）

NG **Who are you?**

あなたは何者ですか？

> これはまるで悪いことをした人に、警察官が職務質問をしているような表現です。

カジュアル **I'm in sales.**

営業やってます。

ふつう **I'm in the retail business.**

小売りの仕事をやっています。

わりとフォーマル **Certainly. I work in retail.**

もちろんです。私は小売りの仕事をしております。

> Certainly. は、May I ask ～?に対する答えの表現です。

かなりフォーマル **I'm very glad that you asked. I deal with the retail industry.**

ご質問していただきとても嬉しいです。私は小売業に携わっています。

過去の仕事を尋ねる

TRACK 34

　しばらく話をしていると、その人は過去にどのような仕事をしていたのだろうと知りたくなるものです。身上調査をしているわけではありませんので、相手が簡単に答えてくれない場合には話題を変えたほうがいいでしょう。

カジュアル **What did you do in the past?**

過去には何をしましたか？

★ **ふつう** **What's your business background?**

過去の職歴はどのようになっていますか？

★★ **わりと フォーマル** **May I ask what your professional background is?**

過去の職歴をお尋ねしてもよろしいでしょうか？

★★ **わりと フォーマル** **Would it be possible for you to tell me your business background?**

過去の職歴を教えていただくことは可能でしょうか？

★★★ **かなり フォーマル** **Would it be too much trouble for you to share your business background?**

過去の職歴をお答えいただくことは、ご迷惑をおかけ過ぎることにはなりませんでしょうか？

▷ 持って回った言い方で、かなりフォーマルな表現です。相手が返事をすることが大変過ぎないか、仮定法で尋ねているので、とても丁寧な表現になっています。

NG **What did you do in the past?**
過去に何をしましたか？

> これでは、まるで警察官の尋問のようになってしまいます。

NG **What were your past jobs?**
過去にはどんな仕事をしましたか？

★ カジュアル **I did several sales jobs.**
営業の仕事をいくつかやりました。

★ ふつう **I had several jobs, but I've mainly been in sales.**
いくつか仕事をしましたが、主に営業畑でした。

★★ わりとフォーマル **Certainly you may. I'm glad you asked. I've been involved in several industries but my specialty is sales.**
もちろんです。ご質問いただき、ありがとうございます。いくつかの仕事をしましたが、専門は営業です。

> Certainly you may. は、May I ask 〜？に対する答えの表現です。

★★ かなりフォーマル **It wouldn't be any trouble at all. I'm more than happy to tell you my business background. My business background involves several professions, but mostly business dealings.**
全く問題ありません。私の職歴について、喜んでお話しいたします。私の職歴は、いくつかの職業を含みますが、主に売買取引をしております。

> It wouldn't be any trouble at all. は、Would it be too much trouble for you to 〜？に対する答えの表現です。

過去の仕事を尋ねる

グローバル企業の社内パーティーで

TRACK 35

　多くの国に支社のあるグローバル企業では、新製品の発表の機会などを利用して海外のスタッフを招待することがあります。このようなパーティーは、日頃会うことのない人たちと情報交換を行うことができる貴重な機会となります。同じ会社とはいっても初対面の人に対しては、基本的に★★（わりとフォーマル）の表現で話すとよいでしょう。

★★ わりとフォーマル **Do you mind if** I talk with you for a while?
少しお話しさせていただいても構いませんか？

★★ わりとフォーマル **Not at all. I'm more than happy to** talk with you.
全く問題ありません。お話しできて嬉しい限りです。

★★ わりとフォーマル **It's so nice to** meet you.
お会いできてとても嬉しいです。

★★ わりとフォーマル **It's an honor to** meet you.
お会いできて光栄です。

★★ わりとフォーマル **May I ask** your name and job responsibility?
お名前と役職をお尋ねしてもよろしいですか？

★ ふつう **I'm Takeshi Okada, a plant manager at the Kanagawa plant.**
神奈川工場の工場長をしている岡田剛と申します。

★★ [わりと フォーマル] **May I ask when you joined the company?**
いつ入社なさったか、お尋ねしてもよろしいですか？

★ [ふつう] **I joined this company 20 years ago.**
この会社には20年前に入社しました。

★★ [わりと フォーマル] **I see. May I ask what your first job was?**
そうでしたか。最初のお仕事は何か、お尋ねしてもよろしいですか？

★ [ふつう] **I was hired as a sales trainee.**
営業見習いとして採用されました。

★★ [わりと フォーマル] **Fortunately, I managed to join the company 15 years ago as an assistant manufacturing engineer.**
幸運にも、私は15年前に、製造エンジニアの助手として入社することができました。

★★ [わりと フォーマル] **You must have been on the fast track for a promotion.**
出世コースを歩んできたのではないですか。

★★ [わりと フォーマル] **Thank you for your compliment.**
お褒めいただいて嬉しいです。

グローバル企業の社内パーティーで

会社主催のクリスマス・パーティーで

TRACK 36

　会社主催のクリスマス・パーティーでは同僚の家族と会う機会もあるでしょう。その際には、「あなたの良い評判をよくお聞きしていました」などと言って話を切り出すとよいでしょう。

カジュアル **Are you John Brown?**
あなたはジョン・ブラウンさんですか？

★ **わりとフォーマル** **May I ask if you're Mr. John Brown?**
あなたがジョン・ブラウンさんかどうかお尋ねしてもよろしいですか？

★ **ふつう** **Yes, I am, and you are?**
はい、そうです。そしてあなたは？

★★ **わりとフォーマル** **Yes, I am, but may I ask who you are?**
はい、その通りです。あなたはどなたかお尋ねしてもよろしいですか？

★ **ふつう** **I'm Diana Mori, the wife of Steve Mori.**
私はダイアナ・森で、スティーブ・森の妻です。

★★ **わりとフォーマル** **I'm Ms. Diana Mori and this is my husband, Steve Mori.**
私はダイアナ・森です。こちらは夫のスティーブ・森です。

★ **ふつう** **I'm glad to meet you.** お会いできて嬉しいです。

★★ **わりとフォーマル** **I'm honored to meet you.** お会いできて光栄です。

★ **ふつう** **Nice to meet you, too.**
こちらこそお会いできて嬉しいです。

★★ **わりとフォーマル** **It's an honor to meet you, too.**
こちらこそお会いできて光栄です。

★ **ふつう** **I've heard a lot about you.**
お話はたくさん聞いております。

★ **ふつう** **I've often heard about you from my husband.**
夫から色々とお話を聞いております。

★ **ふつう** **I hope you heard good things about me.**
私の良い話をお聞きだといいのですが。

★★ **わりとフォーマル** **I sincerely hope that you've only heard good things about me.**
私について良い話だけお聞きになっているといいのですが。

カジュアル **You bet.** その通りです。

★ **ふつう** **Of course, I've only heard good things about you.**
もちろん、良いお話しか伺っていません。

会社主催のクリスマス・パーティーで

★ ふつう **I'm with my husband and two kids.**

夫と子ども２人と一緒です。

★★ わりと フォーマル **I've accompanied my husband and two children. May I ask who you are with?**

私は夫と２人の子どもを伴ってきました。あなたはどなたとご一緒かお尋ねしてもよろしいですか？

★ ふつう **My wife and three kids are here, too. Where is your husband?**

妻と３人の子どもと一緒です。ご夫君はどこですか？

★★ わりと フォーマル **I've accompanied my wife and three kids. May I ask where your husband is?**

妻と３人の子どもを伴ってきました。ご夫君はどこにいるかお尋ねしてもよろしいですか？

★ ふつう **He's helping with this party as staff. He should be somewhere backstage.**

夫はスタッフとしてこのパーティーの手伝いをしています。バックステージのどこかにいるはずです。

▶ この場合の should は、「〜すべきである」ではなく「〜はずだ」の意味を表します。

★★ わりと フォーマル **He's responsible for helping with this party as staff. He is supposed to be somewhere in the backstage area.**

夫はスタッフとしてこのパーティーの手伝いを担当しています。

バックステージのどこかにいることになっています。

★ ふつう **Are you having a good time?**
楽しんでいますか？

★ わりと フォーマル **I assume you and your kids are having a good time.**
子どもさんたちと楽しんでいらっしゃるようですね。

★ ふつう **Santa will soon be giving Christmas presents to the kids.**
そろそろサンタが子どもたちにクリスマス・プレゼントを配る時間ですね。
> イギリスでは、Santa Claus のことを Father Christmas と呼びます。

★ わりと フォーマル **I heard that Santa Claus will soon be giving Christmas presents to the children.**
サンタクロースがそろそろ子どもたちにクリスマス・プレゼントを配ってくれる時間だと聞いています。

★ ふつう **Thank you for letting me know.**
教えてくださってありがとうございます。

★ わりと フォーマル **Thank you for sharing that important information.**
貴重な情報をいただき、ありがとうございます。

会社主催のクリスマス・パーティーで

COLUMN
英語は大砲言語

　ニューヨークに赴任して1年ほどたった頃のことです。マンハッタンを歩いていると、ホットドッグを売っている露天商の声が遠くから聞こえてきました。Hot Dogs, Hot Dogs と、HとDにアクセントを置いて大声で怒鳴っていました。そのときにふと気づいたことがありました。アメリカで仕事をし始めてから、日本にいたときよりも、ずっと耳が疲れるのです。それに、綿棒につく耳垢が日本にいたときより2倍も多くなりました。考えてみますと、赴任して以来、週に数回、それぞれ約3時間の会議に出ており、参加者は私以外すべてアメリカ人でした。私は会議の内容で重要なことは日本に連絡する必要がありましたので、聞き漏らさないように、一生懸命聞いていました。かかってくる電話も、秘書との会話もすべて英語でした。日本にいるときと比べると、英語を聞く時間がずっと長くなっており、英語を聞くために耳を長時間使っていたのです。

　ここで、最初の話に戻ります。Hot Dogs と怒鳴っていた売り子は、HとD以外は、ほとんど聞こえないくらい小さな声で発音していました。そこで私は、英語は、大事なことはドーンドーンと大砲のように大きな声で発音し、それ以外は小さな声で発音することに気づきました。一方、日本語は抑揚の少ないフラットな小銃のように発音するものだということにも気づきました。「そして、大きな声で発音されている単語やフレーズをきちんと聞き取って、残りの部分は適当に聞いておけば、全体の意味を把握することができるのだ」との結論に達しました。その後は、会議に出ても、アメリカ人と話していても、大きな声で発音される部分は聞き漏らさないよう集中して聞くようにしました。すると、相手の言っていることが、苦労せずにすっきりと聞き取れるようになったのです。おまけに、耳の疲れはずっと減り、耳垢の量も日本にいたときとほぼ変わらなくなったのでした。

CHAPTER 4

報告・連絡・相談

　「報告、連絡、相談」（報・連・相）は、仕事を進める上でとても大切な3要素です。上司に対してまめに報告を行い、同僚や関係者へ緊密でタイムリーな連絡を取ることは必須です。

　報・連・相は、欧米やアジアの人たちと仕事を進めていく上でも大切なことです。アメリカやイギリスでは、上司の命令を受けて与えられた仕事を忠実に行う忠誠心を持つことが要求されます。上司が正しい決定を下せるように、必要な情報を提供しなければなりません。上司は決定したことに対して、全面的な責任を持つものとされていますので、悪い情報やうまくいっていない状況をなるべく早く伝えて、共通の理解を保つことが必要です。きちんと相談せずに事態がどんどん悪化してしまい、どうにもならなくなって初めて上司に伝えるのでは遅過ぎます。

　私が国際調達室という部門に所属していたときのこと。この部門では、日本で購入したコンピュータ部品を欧米に輸出していました。輸出書類を準備する担当者で、繰り返し問題を起こしている人がいました。その担当者は、ある部品の輸出種類に不備を見つけると、誰にも伝えずに、不備のある書類を自分の引き出しにしまい込んでしまうのです。そのうちに、部品の海外の発注元から出荷情報の問い合わせが来ます。購入担当者が輸出担当者に、何日にどの便の飛行機で輸出されたか問い合わせをすると、輸出担当者は自分の引き出しを開けて「この部品は、輸出書類に不備があったので何の処理もしていない。きちんとした輸出書類を作らなかった取引先に責任がある」と居直るのです。購買担当者は「書類に不備があったのなら、なぜすぐに知らせてくれないのか、そのままにしておいたのでは、いつまでたっても出荷できないではないか」とクレームをつけるのでした。

　このような不毛な議論を避けるためにも、問題があったらすぐに知らせることが、組織の中ではとても大切です。

報告する

TRACK 37

　問題点やプロジェクトの最新状況を上司に報告することは、部下として最も大切な仕事の１つと言えるでしょう。上司が忙しそうだからとためらって状況を説明するタイミングを逸すると、後で大きな問題に発展する危険性があります。しかし、どうしても事情が許さず、直接会って説明ができないのであれば、最新状況を Latest Status Report（最新状況報告書）の形でまとめて読んでもらいましょう。

カジュアル **Can I report on the progress of our latest project?**

最新プロジェクトの経過を報告してもいいですか？

> Can I ～？を上司に対して使用すると失礼になります。

ふつう **May I report on the progress of our latest project?**

最新プロジェクトの経過報告をしてもよろしいですか？

> May I ～？は、「～してもよろしいですか」と許可を求める表現で、上司に対しても使うことができます。

わりとフォーマル **May I get some time with you to report on the latest project status?**

最新プロジェクトの経過報告の機会をいただいても構いませんか？

わりとフォーマル **Would it be possible for me to report on the progress of our latest project?**

最新プロジェクトの経過報告を行うことは可能でしょうか？

> 「報告してもよろしいですか」と、可能性を尋ねるフォーマルな表現になっています。

カジュアル **Let me update you.**

最新情報をお知らせします。

> 少し直接的過ぎますが、同僚との間であれば使えます。

わりとフォーマル **I would like to update you.**

最新情報をお知らせいたします。

> update と似ている動詞に brief があります。brief は「誰かに概要を伝える」意味で、I would like to brief you.（概要を説明させていただきます）のように使います。あわせて覚えておいてください。

わりとフォーマル **I would like to get an opportunity to update you.**

最新情報をお知らせする機会をいただきたいと思います。

かなりフォーマル **I would appreciate it very much if you could give me a chance to update you.**

最新情報をお知らせする機会をいただけましたらとても感謝いたします。

ふつう **Who do you report to?**

誰に業務報告をしていますか？

> Who is your manager?（あなたの上司は誰ですか？）とほぼ同じ意味ですが、少し遠回しな表現です。

わりとフォーマル **May I ask who you report to?**

誰に業務報告をしているかお聞きしてもよろしいですか？

> May I ask が前に来るときは、who do you report to を who you report to の形に変えなければなりません。

★★ わりとフォーマル I would like to ask you who you report to.
どなたに業務報告をしているかお伺いしたいのですが。

> who you report to は whom you report to と言ってもよいのですが、最近では whom はあまり使われなくなりました。

★★ かなりフォーマル Would you mind telling me who you report to?
どなたに業務報告をされているかお教えいただいても構いませんか？

★ カジュアル Sure. I report to Jane Robinson.
もちろんです。私はジェーン・ロビンソンさんに業務報告しています。

> 特に直属の上司と言いたい場合には I report directly to Jane Robinson. と言います。Ms. を前につけたほうが、丁寧な表現になります。

★ ふつう Of course, I'm reporting to Ms. Jane Robinson.
もちろんです。私はジェーン・ロビンソンさんに業務報告を行っています。

★★ かなりフォーマル Not at all. I'm reporting to Ms. Jane Robinson.
全く構いませんよ。私はジェーン・ロビンソンさんに業務報告を行っております。

> Not at all. は、Would you mind ～？に対する答えの表現です。

★ ふつう Will you keep me informed?
情報を絶えず連絡してくれますか？

★★ **わりとフォーマル** **Would you please keep me informed?**
情報を絶えず連絡していただけますか？

★★★ **かなりフォーマル** **I would appreciate it very much if you would keep me informed.**
情報を絶えずご連絡いただければ、とても感謝いたします。

連絡する

連絡してほしいと言いたいときに、Please contact me.(私に連絡してください)と頼むと少し押しつけがましく取られることもあるので、please を使うには注意が必要です。無難なのは I hope you can contact me.(連絡いただけることを楽しみにしています)です。

★ [ふつう] **I hope you can contact me.**
   連絡いただけることを楽しみにしています。

★★ [わりとフォーマル] **I'd like to request you to contact me on this matter as soon as possible.**
   この件について大至急ご連絡いただけますようお願いします。
   ▷ I'd like to request you という丁寧な表現を使い、相手に十分敬意を払っています。

★★★ [かなりフォーマル] **I would appreciate it very much if you could contact me on this matter as soon as possible.**
   この件について大至急ご連絡いただければ、とても感謝いたします。

★ [ふつう] **If anything happens, would you get in touch with me?**
   何か起こったら、私に連絡を取っていただけますか？
   ▷ get in touch with 人は、主に電話またはメールで連絡を取ることを意味します。

★★ [わりとフォーマル] **I sincerely wish that you contact me in case** something happens.

何か起こったときは、私と連絡を取っていただけますようお願いします。

かなりフォーマル **I would appreciate it very much if** you would contact me in case of an emergency.

緊急時には、私と連絡を取っていただけましたら、とても感謝いたします。

カジュアル **Be sure to** inform all the people involved of the change in the schedule.

関係者全員に対し、スケジュール変更に関して間違いなく知らせてください。

▶ involved は、名詞の後ろについて「関係している」を表します。

ふつう **Would you** inform all the people concerned of the change in the schedule?

関係者全員に対し、スケジュール変更を知らせていただけますか？

▶ concerned も、involved と同じく「関係している」を意味する語です。

わりとフォーマル **Would it be possible for you to** inform all the people concerned about the change in the schedule?

関係者全員に対し、スケジュール変更をお知らせいただけませんでしょうか？

かなりフォーマル **We would appreciate it very much if** you could inform all the people involved of the change in the schedule.

関係者全員に対し、スケジュール変更をお知らせいただけましたら、心から感謝いたします。

カジュアル **Be sure to** write down your contact information on the form.

必ず申請書に連絡先を書いてください。

★ **ふつう** **Would you** write down your contact information in the application form?

申請書に連絡先を書き込んでいただけますか？

★★ **わりとフォーマル** **May I ask you to kindly** write down your contact information in the application form?

申請書に連絡先を書き込むようお願いできますでしょうか？

★★★ **かなりフォーマル** **We would appreciate it very much if** you would write down your contact information in the application form.

申請書に連絡先を書き込んでいただけましたら、心から感謝いたします。

相談する

上司や先輩社員や同僚に相談して、仕事上のアドバイスをいただく際には、相手の地位や立場によって使う表現を変えなければいけません。上司に対して、同僚に頼むときのようななれなれしい口調で話しかけたのでは、評価が下がってしまうでしょう。

カジュアル I need advice about my job.

私の仕事についてアドバイスがほしい。

> かなり強気なリクエストではありますが、同僚との間であれば使える表現です。

★ ふつう May I ask you to advise me on my job?

私の仕事についてアドバイスをお尋ねできますか？

> May I ～? とへりくだった態度でお願いする表現です。

★ わりとフォーマル I was wondering if I could ask your professional advice about my job.

私の仕事についてあなたの専門家としてのご意見をお尋ねしたいのですが。

> your professional advice（あなたの専門家としての意見）とするとよいでしょう。ただの your advice とすると、フォーマルなニュアンスが薄れてしまいます。

★★ かなりフォーマル If at all possible, would you please give me your professional advice in regards to my job?

もし可能でしたら、私の仕事についてあなたの専門家としてのアドバイスを頂戴できますでしょうか？

> if at all possible は、相手の立場に十分に注意を払った表現で、かなりフォーマルな言い方となります。

★ ふつう **May I give you a piece of advice?**

１つアドバイスしてもよろしいですか？

★★ わりと
フォーマル **I was wondering if I could give you a piece of advice.**

１つアドバイスを差し上げたいのですが。

★★★ かなり
フォーマル **If you don't mind, I'd like to give you a piece of advice.**

もしお気にかけないようでしたら、喜んでアドバイスを１つ差し上げます。

» 相手の立場を考慮して、へりくだった態度でアドバイスすることを提案しているので、とてもフォーマルな表現です。

カジュアル **I want to discuss something about my job with you.**

私の仕事について話し合いたいのです。

» want は強く何かをしたいという希望を表すことが多く、使用には注意が必要です。

★ ふつう **May I discuss something about my job with you?**

私の仕事に関して話し合いさせていただけますか？

★★ わりと
フォーマル **Would you spare me a few minutes to discuss something about my job?**

私の仕事に関して話し合うために少しお時間をいただけませんでしょうか？

» 実際には、10 分も 20 分もかかるかもしれませんが、相手が受け入れやすいように、a few minutes（数分間）と短めに言うのが常識になっています。

★★ [かなりフォーマル] **I would appreciate it very much if you could discuss something regarding my job.**

> 私の仕事に関してお話しさせていただけたら、心から感謝いたします。

> regarding は「～に関しては」を意味し、concerning と同じく文語で使われることが多い語です。会話で使うと、about よりもフォーマルな言い方になります。

★ [ふつう] **Please review my trip report.**

> 私の出張報告書の内容を確認してください。

> 相手にものを頼む際に please を使うと、無理強いしている感じもあるので、使用には注意が必要です。

★★ [わりとフォーマル] **May I ask you to review my trip report?**

> 私の出張報告書の内容確認をお願いできますか？

> May I ～？ とへりくだった態度で頼んでいます。

★★ [わりとフォーマル] **If you have time, would you kindly review my trip report?**

> もしお時間がありましたら、私の出張報告書の内容を確認していただけますでしょうか？

> 相手に時間的な余裕があるかどうかを確認してから頼んでいるので、ややフォーマルな表現になります。

★★ [かなりフォーマル] **Is it too much trouble to ask you to kindly give me your review on my trip report?**

> 私の出張報告書の内容確認をお頼みするのは、あまりにもご迷惑をおかけすることになりませんでしょうか？

> かなり遠回しに、へりくだった態度で依頼していますので、とてもフォーマルな表現となります。

相談する

COLUMN

温泉と外国人

　私はIBMの購買部門のバイヤーとして、国内の取引会社に部品製造を依頼し、それを欧米のIBMの製造工場へ輸出していました。本州、九州、四国に散らばっていた取引先数百社を訪問するため、欧米のIBM社員を連れて、10年間に数百回以上も出張しました。

　温泉に入ることが生まれて初めてだというアメリカ人を風呂場に連れていったときのことです。そのアメリカ人はお風呂に入る準備をすると、しばらく考えた後で、なんと上がり口の上に立ち、頭から湯船の中に飛び込んだではありませんか。湯船の中でゆっくりと温泉に浸かっていたところに、跳ね返ったお湯を頭から浴びた日本人たちのびっくりした表情はいまだに脳裏に焼きついています。

　日本国内のほとんどの温泉や銭湯で、入れ墨をした方の入湯を禁じるという張り紙を見かけます。最近の日本や海外の若者の中には、ファッション感覚で入れ墨をしているのを普通に見かけるようになってきました。アメリカの海兵隊に属している兵隊さんの大部分は、手足に、自分が属している部隊名や自分の名前を入れ墨しています。これは、もし戦場で運悪く手足が体から離れてしまった場合に、誰のものかを明らかにするためのIDの目的で行っています。入れ墨をしている外国人はマフィアの構成メンバーではないのです。

　2020年の東京オリンピックの開催決定後に、海外旅行者の旅行者数は急激に増加してきました。また、日本政府も旅行者数の倍増を目標に掲げています。このような状況のもとで、昔ながらに、入れ墨をしている方たちを締め出すのは、現実的でなくなってきたのではないでしょうか。温泉地などで、入れ墨をしている海外旅行者がクレームをつけるケースも増えてきたそうです。米軍放送（AM810）のAFN（American Forces Network）では、入れ墨をしている兵隊たちに、日本の文化的背景から、温泉に入らないようにと繰り返し注意のアナウンスをしています。

　海外旅行者の増加を望むのであれば、入れ墨をした人の入湯禁止の張り紙ははがす時期に来ているのではないでしょうか。

CHAPTER

5

オフィス機器のトラブル

　オフィス機器の代表的なトラブルには、ネットがつながらない、Eメールやファックスがうまく送れない、文字が薄くてよく読めない、用紙が詰まる、などがあります。

　複合機を使用する場合も、機種によって通信方法や紙・トナーの設定方法などが違うため、使い慣れない機種を扱うのはなかなか難しいものです。海外では、日本とは違った機種が使われていることも多く、また英語の表示で戸惑うこともよくあります。紙が詰まったり、トナーやインク・カートリッジを交換してもきれいに印刷できなかったり、色が思い通りに出なかったりすることでしょう。紙の種類やサイズの適切な設定も重要です。

　私は欧米で、契約書（contract）や技術仕様書（engineering spec）を送受信することがよくありました。送られてきたデータが文字化けして読めないことや、10ページ送ったはずなのに、9ページしか届かなかった場合などがありました。また、相手のファックスとうまく接続できずに、何度も電話をかけ直さなければならないことも、よくありました。あるときデータを送り終えた後で、受領を確認できたかどうか、相手に電話を入れると、秘書が出て、本人はすでに帰宅してしまい、明日から1週間の休暇に入ると聞いてがっかりしたこともありました。

　オフィス機器のトラブルの場合、誰に聞けばよいのかわからず焦ってしまうことも多いでしょう。冷静に、周囲の人に状況を説明し、対応に協力を求めましょう。焦っているときには言葉遣いが乱雑になってしまうこともありますが、こういうときこそ丁寧にフォーマルな表現でヘルプを求めるのが肝心です。問題が解決した後には、トラブルに対応してくれた人々に感謝の言葉を述べるのを忘れないようにしましょう。

近くにいる人に手助けを頼む

TRACK 40

カジュアル **I need some help.**　助けが必要です。

★ **ふつう** **Will you help me?**　助けていただけますか？

★★ **わりとフォーマル** **Would you do me a favor?**
１つお願いしてもよろしいでしょうか？

カジュアル **You bet.** もちろんです。

★ **ふつう** **Certainly. What can I do for you?**
もちろんです。どのようにお助けすればよろしいでしょうか？

★★ **わりとフォーマル** **I would be glad to. How may I help you?**
喜んで。どのようにお手伝いいたしましょうか？

★ **ふつう** **Will you show me how to do that?**
やり方を教えていただけますか？

★★ **わりとフォーマル** **Would you show me how to do that?**
やり方を教えていただけませんでしょうか？

★★ **かなりフォーマル** **If it's not too much trouble, would you kindly show me how to do that?**
もしあまりご迷惑でないようでしたら、方法を教えていただいても構いませんでしょうか？

CHAPTER 5　オフィス機器のトラブル

ネットのトラブル

海外では、回線が安定していない場合も多いものです。慌てず、丁寧な言葉で、使い慣れている人に尋ねましょう。

カジュアル **I can't get access to the internet.**
インターネットに接続できません。

★ **ふつう** **I'm having trouble connecting to the internet.**
インターネットの接続にトラブルを抱えています。

カジュアル **Something is likely wrong with the communication line.**
回線がどこか悪いはずです。

★ **わりとフォーマル** **I assume there is something wrong with the communication line.**
★ 回線がどこかおかしいように思われます。

★ **ふつう** **Would you check the communication line?**
回線状態を調べていただけますでしょうか？

★ **かなりフォーマル** **I would appreciate it very much if you could check the communication line.**
★ 回線状態をチェックしていただければ、とても感謝いたします。

★ ふつう **The server seems to be down.**

サーバーがダウンしたようです。

★★ わりと
フォーマル **I am afraid that the server seems to be out of service.**

サーバーがダウンしたように思われます。

★★ わりと
フォーマル **You are not able to log in to this page.**

このページにログインできません。

★★ かなり
フォーマル **Unfortunately, you are not allowed to log in to this page.**

残念ですが、あなたがこのページにログインするのは許可されておりません。

メールの送受信のトラブル

TRACK 41

海外では、なぜかメールを送受信できないことはよく起こります。気分良くトラブルに臨めるよう、サーバの管理担当やメールの送信相手に、冷静な態度で丁寧に対応を依頼しましょう。

カジュアル **I can't** send an email from my notebook.
私のノートパソコンからメールを送れません。

★ **わりとフォーマル** **I am unable to** email from my notebook computer.
私のノートパソコンからメールを送れません。

カジュアル **I can't** receive any emails on my cellphone.
私の携帯でメールを受け取ることができません。

★ **わりとフォーマル** **I am unable to** receive any emails on my cellphone.
私の携帯でメールを受け取ることができません。

★ **ふつう** **Please** send it again. もう一度送ってください。

★ **わりとフォーマル** **Would you** resend it? もう一度お送りいただけますか？

★ **かなりフォーマル** **Would you mind** resending it?
再送していただいても構いませんでしょうか？

★ **かなりフォーマル** **I would appreciate it very much if** you could resend it.
もう一度送っていただければ、心から感謝いたします。

ファックスの送受信のトラブル

　海外から受信者側の正しいファックス番号を入力してファックスを送ることは簡単ではありません。国番号をつけたり、市外局番の頭のゼロを取ったりする必要があるからです。使い方が英語で書いてあるのを理解するだけでも大変です。自分で送るのが無理そうな場合には、使い方に慣れている現地の人に頼んだほうがよいでしょう。

カジュアル　I can't fax this document.
この書類をファックスできません。

ふつう　I'm not able to fax this document.
この書類をファックスすることができません。

わりとフォーマル　I'm afraid that I'm unable to fax this document.
この書類をファックスすることができないようです。

かなりフォーマル　Unfortunately, I'm having trouble faxing this document.
残念ながら、この書類をファックスするのに手間取っています。

カジュアル　Our fax can't receive the document.
ファックスが書類を受けられないのです。

ふつう　The fax machine isn't able to receive the document.
ファックス機が書類を受け取ることができないのです。

[わりとフォーマル] **Somehow the fax machine is unable to receive the document.**

どういうわけか、ファックス機が書類を受けることができないのです。

[わりとフォーマル] **Unfortunately, the fax machine is unable to receive the document.**

残念ながら、ファックス機が書類を受け取ることができないのです。

[カジュアル] **I can't read your fax.**

そちらからのファックスが読めません。

[ふつう] **I'm not able to read the fax from you.**

そちらからのファックスを読むことができません。

[わりとフォーマル] **Unfortunately, I'm unable to read the fax from you.**

残念ながら、そちらからいただいたファックスを読むことができません。

[わりとフォーマル] **I'm afraid that I'm unable to read the fax from you.**

残念ながら、そちらからいただいたファックスを読むことができないようです。

プリンターやコピーのトラブル

TRACK 42

最近では欧米のオフィスでも、ファックスやコピー機などの機能を備えた all-in-one printer と呼ばれる複合機が主流です。そのため、それぞれの機能をどのように使うか、戸惑うことも多いでしょう。

カジュアル **I want to use A4 size paper, but I don't know how to set the size.**

A4 サイズを使いたいのですが、サイズの決め方がわかりません。

★ **わりとフォーマル** **I would like to use A4 size paper, but I'm unable to set the size with this printer.**

A4 サイズを使いたいのですが、このプリンターでその用紙サイズを決めることができません。

★★ **わりとフォーマル** **If it's possible I would like to print on A4 size paper, but I'm afraid I'm unable to set the size with this copier.**

もし可能であれば、A4 サイズに印刷したいのですが、残念ながらこのコピー機ではサイズを決めることができません。

★★★ **かなりフォーマル** **If at all possible I'd prefer to print on A4 size paper, but I'm afraid I'm unable to do that.**

もし可能でしたら、A4 サイズの用紙に印刷したいのですが、残念ながらできないのです。

> If at all possible は決まり文句で、If possible をさらに強調したい場合に使います。

カジュアル **The printed copies are too light.**
コピーの色が薄すぎます。

★ **ふつう** **I think the printed copies are too light.**
コピーの色が薄すぎる気がします。

★★ **わりとフォーマル** **I'm afraid the printed copies are not dark enough.**
コピーがあまり濃くないように思います。

★★★ **かなりフォーマル** **Unfortunately, the color contrast on the printed copies needs improvement.**
残念ながら、コピーの濃さを改善する必要があります。

カジュアル **Show me how to fix it, please.**
どう直せばいいか教えてください。

★ **ふつう** **Would you show me how to darken the color contrast?**
色を濃くする方法を教えていただけませんか？

★★ **かなりフォーマル** **Would you mind showing me how to darken the color contrast?**
色を濃くする方法を教えていただいても構いませんでしょうか？

★★★ **かなりフォーマル** **I would appreciate it very much if you would show me how to darken the copies.**
どのようにすれば濃くコピーできるか教えていただけましたら、心から感謝いたします。

プリンターやコピーのトラブル

カジュアル **The replace-ink-cartridge light is on.**

インク・カートリッジ交換ランプが点いています。

★ **ふつう** **I see the replace-ink-cartridge light is on.**

インク・カートリッジ交換ランプが点いているのが見えます。

★★ **わりとフォーマル** **I'm afraid the replace-ink-cartridge light is lit up.**

インク・カートリッジ交換ランプが点いているようです。

★★ **わりとフォーマル** **I'm afraid the replace-ink-cartridge light has just turned on.**

インク・カートリッジ交換ランプがちょうど点いたようです。

紙が詰まる

複合機の紙詰まりは、対応がやっかいです。詰まった紙を無理に引き出そうとすると破ってしまって、小さな紙片が機械の中に残ることがあります。対応の仕方を、詳しいスタッフに教えてもらって、慎重に紙を引き出しましょう。

カジュアル **The paper got stuck in the fax machine.**
ファックス機の中に紙が詰まってしまいました。

★ **ふつう** **It seems that there is a paper jam in the fax machine.**
ファックス機に紙が詰まったようです。

★★ **わりとフォーマル** **Unfortunately, there seems to be a paper jam in the fax machine.**
残念ながら、ファックス機の中に紙が詰まっているようです。

★ **わりとフォーマル** **I'm afraid that there seems to be a paper jam in the fax machine.**
困ったことに、ファックス機の中に紙が詰まっているようです。

カジュアル **Show me how to fix it, please.**
どう直せばいいか、教えてください。
> 日本語「教える」を直訳して Teach me how to fix it. と言わないようにしてください。

★ **ふつう** **Would you show me how to fix it?**

どう直せばいいか、教えていただけますか？

かなりフォーマル **Would you mind** showing me how to fix it?

どう直せばいいか教えていただいても構いませんでしょうか？

かなりフォーマル **I would appreciate it very much if** you could show me how to fix it.

どう直せばいいか教えていただければ、とても感謝いたします。

カジュアル **Why don't you** pull the jammed paper like this?

このように、詰まった紙を引き出したらどうですか。

ふつう **Please** try to pull the jammed paper like this.

このように、詰まった紙を取り出してみてください。

わりとフォーマル **All you have to do is** pull the jammed paper slowly out of the fax like this.

このように、詰まった紙をゆっくりファックス機から取り出すだけでいいのです。

CHAPTER

6

アポイントメント

　ビジネスでアポイントメントを取る場合には、電話で取ることが多いものです。話をしながら、相手の都合の良い日時、場所を決めていきます。自分の名前、職業、アポの目的をきちんと正確に伝える必要があります。心を落ち着けて堂々とゆったりとした話し方を心がけてください。できるだけ丁寧かつ相手に対して思いやりのある表現を選びましょう。

　地位の高い人からアポイントを取るときは、直接本人と話すのではなく、アポを取りたい相手の秘書と交渉するのが普通です。私は緊急に会いたいときには、その理由をはっきりと伝えて、空いている予定の中でできるだけ早い機会に会えるようにしつこく要求していました。すると、こちらの熱意が通じて、秘書が早く会わせてくれるよう取り計らってくれることがよくありました。

　時々、アポなしで飛び込みセールスをしようとする人がいますが、なかなかガードが固く、会ってもらえない場合も多いものです。それよりは正々堂々と、打ち合わせの目的と、相手にとってどのようなメリットがあるかを伝えるほうがいいでしょう。そのためには、相手の仕事や立場、業界におけるマーケットシェアなどを下調べしておくと、相手も「そこまで調べてくれているのなら、一度会ってみようか」と思ってくれるのでないでしょうか。

　訪問時には、服装にも気を配る必要があります。男性であればできるだけ背広にネクタイがいいでしょう。女性の場合では地味な色のスーツと趣味の良いブラウスがお勧めです。ラフ過ぎたり、カジュアル過ぎたりした服装では、相手に不快な感情を与えかねないので十分に注意しなければなりません。基本的な考え方としては、相手と同じかまたは少しだけフォーマルな服装を選べば問題ありません。足元も見られますので、きれいに手入れの行き届いた靴を履いていくことが大切です。ダイバータイプの時計は、遊び感覚なので避けて、品のいいドレスウオッチをはめていくといいでしょう。

アポイントを取る

TRACK 44

　アポイントを取る際には、相手の都合の良い日時をいくつか挙げてもらい、それに自分が合わせるようにします。ただし緊急な仕事でアポイントを取る場合には、緊急であることを相手に伝え、相手に歩み寄ってもらうようにリクエストせざるを得ない場合もあります。

カジュアル **I want to make an appointment with you.**
アポイントを取らせてください。

★ **わりとフォーマル** **I would like to make an appointment with you.**
アポイントを取らせていただきたいのですが。

★ **わりとフォーマル** **Is it possible to make an appointment with you?**
アポイントを取らせていただくことは可能でしょうか？

★ **かなりフォーマル** **I was wondering if I could make an appointment with you to discuss the latest project.**
最新のプロジェクトの件で、アポイントを取らせていただくことが可能かどうか知りたいのですが。

NG **I need to see you.**　あなたと会う必要があります。
> あまりにぶしつけな表現なので、使わないようにしてください。

カジュアル **When will you be available?**
いつが都合がいいですか？

★ **ふつう** **When would you be available?**

128　CHAPTER 6　アポイントメント

いつご都合がよろしいですか？

★★ 【わりと フォーマル】 **May I ask** when you'll be available?
いつご都合がよろしいか、お尋ねしてもよろしいでしょうか？

★★ 【かなり フォーマル】 **Would you mind telling me** when you would be available?
いつご都合がよろしいか、お尋ねしても構いませんでしょうか？

【NG】 **When are you free?**　暇なのはいつですか？
> 上から目線で、相手に命令するかのような意味に取られてしまうので、使わないでください。

【カジュアル】 **Is next Tuesday at 3 pm convenient for you?**
来週の火曜日の午後3時はいかがでしょうか？

★ 【ふつう】 **Would** next Tuesday at 3 pm suit you?
来週の火曜日の午後3時は、お会いすることが可能かどうかお聞きしたいのですが。

★★ 【わりと フォーマル】 **May I ask if** next Tuesday at 3 pm would suit you?
来週の火曜日の午後3時はご都合がよろしいかお尋ねしてもよろしいでしょうか？

★★ 【わりと フォーマル】 **I was wondering if** 3 pm on Friday would suit you.
金曜の午後3時は、ご都合いかがでしょうか。

★★ 【わりと フォーマル】 **Would it be possible to** meet you next Tuesday at 3 pm?
来週の火曜日の午後3時にお会いすることはできますでしょうか？

日時を調整する

TRACK 45

　アポイントの日時を決める際には、お互いの都合を伝え合って決めていきます。相手の都合の良い日時の候補を数種類、挙げてもらうように頼みます。あくまでも、こちらからリクエストしているわけですから、相手の都合に合わせる気持ちが大切です。これは忙しいスケジュールを割いて会ってくれる人への思いやりと言えるでしょう。

カジュアル **I can't make it on the 16th.**
16日は無理です。

★ **ふつう** **I will not be able to make it on the 16th.**
16日は無理なようです。

★★ **わりとフォーマル** **I'm afraid I am unable to meet you on the 16th.**
残念ながら16日にお会いすることは無理なようです。

★★★ **かなりフォーマル** **Unfortunately, I may have a slight schedule conflict on the 16th.**
残念ながら16日はちょっとスケジュールが重なっているようです。

カジュアル **What about the 17th?**
17日はどうですか？

★ **ふつう** **Could we meet on the 17th instead?**
その代わり、17日ではいかがでしょうか？

★★ **わりとフォーマル** **I'd much prefer** the 17th if that's all right with you.
もし構わないようでしたら、17日だと都合がよいのですが。

★★ **かなりフォーマル** **Would it be possible to** meet on the 17th instead?
その代わり17日にお会いすることは可能でしょうか？

★ **ふつう** **What day will be best for you** next week?
来週で一番都合の良い日は、いつですか？

★★ **わりとフォーマル** **May I ask** what day will be most convenient for you next week?
来週で一番ご都合の良い日をお尋ねできますか？

★ **ふつう** Wednesday and Friday afternoons **are fine with me**.
水曜と金曜の午後だと都合がよいのですが。

★ **ふつう** **I'll be available** in the afternoon on Wednesday and Friday.
水曜と金曜の午後であれば結構です。

★ **ふつう** Then **how about** 3 pm next Friday?
では、来週金曜日の午後3時ではいかがでしょうか？

★★ **わりとフォーマル** Then **may I suggest** 3 pm next Friday?
それでは、来週金曜日の午後3時ではいかがでしょうか？

★ ふつう **That's wonderful.**

それはいいですね。

★★ わりと
フォーマル **That would be perfect.**

それなら全く問題ありません。

★ ふつう **See you here next Friday at 3 pm then.**

それでは、こちらで来週金曜日の午後3時にお会いしましょう。

★★ わりと
フォーマル **Then, I'll see you at our place next Friday at 3 pm.**

それでは、弊社で来週金曜日の午後3時にお会いしましょう。

★ ふつう **Hope to see you then.**

それでは、その時にお会いしましょう。

★★ わりと
フォーマル **I'm looking forward to seeing you.**

お会いできることを楽しみにしております。

日時以外の詳細を確認する

TRACK 46

アポイントの日時を決めても、会合場所への行き方がわからないこともよくあります。車での行き方は driving directions と言います。一般的な表現として、「ここへ来る方法を知っていますか？」は Do you know how to get here? と言います。あわせて覚えておいてください。

★ **ふつう** **Do you need driving directions?**
運転の道案内が必要ですか？

★ **わりとフォーマル** **Would you need driving directions to our place?**
弊社までの運転の道案内がご入用でしょうか？

★ **ふつう** **Thank you for your offer, but I'm all right.**
お申し出ありがとうございます。大丈夫です。

★ **わりとフォーマル** **Thank you for your kind consideration, but I'm quite familiar with your area.**
ご配慮いただきましてありがとうございます。そちらの地理はよく存じておりますので結構です。

★ **ふつう** **Please email me directions.**
道順をメールしてください。

★ **わりとフォーマル** **Maybe you could email me directions just to make sure.**
確認のために道順をメールしていただけますと確実です。

アポイントをキャンセルする

TRACK 46

　何らかの理由でアポイントをキャンセルせざるを得ない場合、キャンセルされるほうとしては面白くないこともあるでしょう。その気持ちを和らげるためにも、できるだけ理由を相手に伝えることが大切です。大切なのは、相手に対し、きちんと謝罪の気持ちを伝えることです。悪い感情やしこりが残らないよう丁寧に伝えましょう。

★ ふつう **I'm very sorry but** I have to ask you to cancel our appointment due to an emergency.

大変申し訳ありませんが、緊急事態が発生しまして、アポイントのキャンセルをお願いしなければなりません。

★★ わりとフォーマル **Regrettably, it looks like** we'll not be able to see each other after all. **I feel very sorry about this.**

残念ですが、結局お会いすることはできないようです。この件については、大変申し訳なく思っております。

★★★ かなりフォーマル **Unfortunately,** an unexpected work commitment has emerged and I have to cancel our appointment. **Please accept my sincere apologies.**

残念ながら、予期していなかった仕事が入りまして、アポイントのお約束を果たせそうにありません。私の心からの謝罪をお受けいただければ幸いです。

★ ふつう **Would you reschedule the current appointment?**

現在のアポイントのリスケジュールをお願いできませんでしょうか？

★★★ かなりフォーマル **Would it be possible to alter the current appointment by any chance?**

現在のアポイントを変更することは、ひょっとして可能ではないでしょうか？

> **COLUMN**
説明できないのなら、それは問題とは呼ばない

　アメリカで仕事をしていたときに、風変わりな取締役がいました。勤務していた場所は、ニューヨーク州の北部にあるキングストン研究所でした。しかし、彼は仕事で百数十キロも離れたIBM本社があるアーモンクへ頻繁に行く必要がありました。最初のうちは、かなり大変な思いをしながら片道1時間半、往復3時間を車で通っていました。しかし、冬になると道はかちかちに凍って滑りやすく、運転はとても難しくなります。そこで、飛行機なら時間を大幅に短縮できると思い立ち、飛行機の免許を取ってセスナ機を購入しました。すると、自宅近くの小さな空港まで15分、飛行時間は15分、その後本社まで車で10分、合計40分で通えるようになりました。片道で50分、往復では100分も短縮できたのです。その結果、長時間運転による体の疲れもなくなり、家族と一緒にいられる時間も増やすことができて、一石二鳥だと言っていました。

　このように問題意識が強く、すぐに実行に移すこの取締役は、仕事上でもとてもpractical（現実的は、実際的な）な人でした。私が同席した会議で、色々な部門の担当者が、仕事の指示や決定を下してもらうために15分程度時間をもらって説明をしていました。ある人が、製品の問題をテーマに話し出しました。取締役は繰り返し、What is the problem?（何が問題なのか）とその担当者に問いただしました。しかしその担当者は、ただThe problems is...（問題だ、問題だ）と繰り返すばかりで、わかりやすくその問題点を説明することができませんでした。そのうちしびれを切らした取締役は、椅子から立ち上がり、説明者が使っていたフリップチャート（縦が約90センチ、横が約70センチの白紙）の上に太い赤のマジックで、This is not a problem.（これは、問題ではない）と大きく書いて、その上にXをつけました。そして、「きちんと問題点を説明できないものは問題とは呼ばないのだ、何が問題か説明できるようになったら出直してきなさい」と厳しく言ったのでした。

CHAPTER

7 訪問

　海外でオフィスを訪問するのは、そう簡単なことではありません。日本と違って、交通機関が時刻表通りに運行していないことも多いですし、電車やバスの運転間隔がとても長いこともあります。自分でレンタカーを借りて運転することも可能ですが、日本の免許証についてレンタカー会社に説明するのが難しかったり、国際免許証ではだめだと言われたりするなど、私自身何度も経験しました。また、右側通行の国で間違えて左側を運転してしまったり、日本と違う道路標識がとっさにわからなかったりして事故を起こす可能性もあります。できるだけタクシーやハイヤーを使うことをお勧めします。

　訪問先の受付に着いたら、まず自分の名前と会社名を伝え、面談相手の名前とアポイントの時間を告げて取り次いでもらいます。面談する相手が出てくるまでの間、受付の人と雑談したりして時間をつぶします。受付の人との会話では、簡単な日本語の「おはようございます」や「ありがとうございます」などを教えてあげると喜ばれるのでお勧めです。そうこうしているうちに、面談相手や秘書が出てきて、会議室やオフィスに案内してくれます。

　打ち合わせが長引くこともよくあるので、トイレの場所を前もって聞いておきましょう。会議室からトイレの場所まで、とても遠いこともありますので、面談相手や秘書に連れていってもらうのがいいでしょう。元の場所に戻れなくなることもありますので、トイレの外で待ってもらい、連れ帰ってもらうようにしたほうが安心です。

　アメリカをはじめ多くの国では、ビジネス相手にお土産を持参する習慣はありません。しかし、お土産をもらって怒る人もいません。日本の空港で売っている、数百円から、せいぜい千円の純日本的なお土産で十分です。特に喜ばれるのは、和服姿のお人形、ミニ屏風、千代紙、けん玉などです。会社によっては厳しい社内規定があり、取引先から高額のプレゼントを受け取ることを禁じていることもありますので、あまり高価なものは避けましょう。

受付で

TRACK 47

　訪問先に到着したら、受付で、名前、会社名、アポの有無をはっきりと伝えます。日本人の名前は海外の相手には伝わりにくいので、書いたものを見せるのもお勧めです。
　一般的なお客様との会談においては、★★（わりとフォーマル）の表現をキープするようにしましょう。

★★ わりとフォーマル **Would it be possible to see Ms. Beth Holtz?**
ベス・ホルツさんにお会いすることは可能でしょうか？

★★ わりとフォーマル **May I have your name and which company you are from?**
お名前と会社名をお伺いできますか？

★★ わりとフォーマル **I'm Terry Yamamoto and I work for ABC Trading.**
テリー山本と申します。ABC 貿易に勤めております。

★ ふつう **I hate to say this, but you'll have to wait for a while. It will be about five minutes.**
申し上げにくいのですが、しばらくお待ちいただかなければなりません。だいたい5分ほどです。

★★ わりとフォーマル **That should be no problem. I'll wait.**
それで問題ありません。お待ちします。

138　CHAPTER 7　訪問

★★ わりとフォーマル **Thank you, sir. Please have a seat.**
ありがとうございます。どうぞお座りください。

応接室で

会議室や応接室に通され、挨拶を交わし、持参したちょっとしたお土産などを手渡ししましょう。交渉の始めに行う自己紹介では、名前と会社名、役職を告げます。そこに到着するまでの交通手段に触れ、初対面の緊張をほぐすことなどは良い考えでしょう。

★★ わりとフォーマル **It's my pleasure to welcome you to Apex Corporation. I'm Rick Shapiro, purchasing manager.**

エイペックス・コーポレーションへお越しいただいたことは、とても喜ばしいことです。私は購買部長のリック・シャピロと申します。

★★ わりとフォーマル **It's an honor to meet you. I'm Ayako Nakamura, sales manager from Ideal Device Company.**

お会いできて光栄です。アイデアル・デバイス社の営業部長で中村綾子と申します。

★★ わりとフォーマル **Thank you very much for coming all the way down from Tokyo.**

東京からわざわざお越しいただきましたことに、とても感謝いたします。

★★ わりとフォーマル **Thank you for taking time to meet with me.**

お時間を取ってお会いいただきましてありがとうございます。

★ ふつう **This is a small present for you from Japan.**

これは日本からのちょっとしたお土産です。

★★ 【わりとフォーマル】 **You didn't have to do that, but thank you very much for** your generosity. I'll treasure it. **I appreciate it.**

お気遣いいただかなくて結構ですよ、でもあなたの気前の良さに感謝いたします。大事にさせていただきます。ありがとうございます。

★ 【ふつう】 **How was your flight?**　フライトはいかがでしたか？

★ 【ふつう】 **It was great. Thank you.**
とても良かったです。ありがとうございます。

★ 【ふつう】 **I hope** the traffic was not very heavy.
あまり渋滞しなかったらよかったのですが。

★ 【ふつう】 **Please** have a seat.　どうぞお座りください。

★★ 【わりとフォーマル】 **Would you care for** coffee?
コーヒーを召し上がりますか？

★★ 【わりとフォーマル】 **That's wonderful.** I'll have coffee with cream but no sugar, **please**.

それはいいですね。砂糖抜きで、クリーム入りのコーヒーをお願いします。

応接室で　141

打ち合わせに入る

TRACK 48

雑談は早々に切り上げ、仕事の話を始めます。実際に顔を合わせることで、信頼関係を深めることができます。電話やメールでは話したり見せたりすることができなかった書類などを提示します。

Let me show you our requirements for your products.

御社の製品に対する私どもの必要量に関する情報をお見せしましょう。

I've brought with me our latest production schedule by product for the next year.

来年度の製品別の最新生産スケジュールをお持ちしました。

This information is highly confidential and we have to ask you to sign a disclosure agreement later.

この情報は極秘でして、後ほど、秘密情報開示同意書にサインをいただく必要があります。

I'm more than happy to comply with the agreement and treat the information accordingly.

喜んで同意書を遵守し、情報をその通りに取り扱いいたします。

Currently, we are planning to manufacture products to 90% of our total manufacturing

capabilities from January to June.

現在のところ、1月から6月までは全製造能力の90%で製品を製造する計画を立てております。

★ わりとフォーマル **I understand. It follows that you can only produce 10% more until June.**

わかりました。ということは、6月まではあと10%生産余力があるということですね。

★ わりとフォーマル **That's exactly right.**　全くその通りです。

★ わりとフォーマル **I'm very glad to hear that.**

それをお伺いしてとても嬉しいです。

★ わりとフォーマル **We would like to receive delivery of your products starting next July.**

来年の7月から御社の製品を出荷していただきたいと考えております。

★ わりとフォーマル **That's perfect. May I see your requirement chart?**

それなら完璧ですね。御社の必要量のチャートを見せていただけますか？

★ わりとフォーマル **Most certainly. Here you are.**

もちろんです。こちらです。

★★ わりと フォーマル **I was wondering if we could keep this chart.**

この図表をいただいてもよろしいでしょうか。

★★ わりと フォーマル **Of course. I've printed the chart for you to keep.**

もちろんです。そのために印刷しましたので。

★★ わりと フォーマル **I appreciate your consideration.**

ご配慮いただき感謝いたします。

打ち合わせを終える

TRACK 49

十分に打ち合わせをし、帰りの時間も近づいてきました。帰りの便の時間が決まっている場合などは正直に伝えましょう。空港までの距離が遠いか近いかなどは、現地の人のほうが詳しいものです。時間を取っていただいたことに感謝の意を表し、再会を期してお別れの言葉を告げます。

★ **[わりとフォーマル]** **I'm afraid I have to call it a day.**
申し訳ありませんが、今日はこれで終わりにしなければなりません。

★ **[ふつう]** **Are you in a hurry?**　お急ぎですか？

★ **[わりとフォーマル]** **I'm really sorry, but I need to leave now. I have a flight to catch.**
申し訳ありませんが、今から出かけなければなりません。フライトの時間が近づいていますので。

★ **[わりとフォーマル]** **May I ask your flight departure time?**
何時の便か、お尋ねできますか？

★ **[わりとフォーマル]** **You should be at the airport by six. That means you have to leave here by four thirty.**
空港には6時までに着いていないといけませんね。ということは、4時半までにはここを出なければいけませんね。

★ **[わりとフォーマル]** **I understand that I'd better leave here in**

打ち合わせを終える　145

15 minutes.
ここを15分以内に出発したほうがよさそうですね。

Thank you very much for taking your time to come down here and talk about your requirements.
わざわざお越しいただき、御社の必要量についてお話しいただいたことにとても感謝しております。

The pleasure is mine. こちらこそ嬉しく思っております。

I had a wonderful time talking to you.
お話しできてとても素晴らしい時間を過ごさせていただきました。

I'm very happy to have accomplished so much today.
今日はたくさんのことをやり遂げることができてとても嬉しいです。

I'll look forward to receiving an annual order from your company in the near future.
近いうちに御社から1年分のご注文をいただけることを楽しみにしております。

I'm sure we'll be placing our order sometime next month.
来月中に発注できると思います。

I think you'd better hurry now.

もうお急ぎになったほうがいいでしょう。

★ ふつう **Please have a safe trip back to Tokyo.**
東京まで気をつけてお帰りください。

> COLUMN
頑張ればいいわけじゃない

　私はIBMで3年ほど、コンピュータ用のマニュアルを英語で作成する仕事についていました。上司はアメリカ人男性でした。この部門についたばかりの頃は、1種類のマニュアルだけを作成していました。近くの席の同僚たちが、限りなくおしゃべりで、彼らの雑談が気になってしまったので、社内にある図書室の机でカードに書いた情報をもとにマニュアルを作成していました。すると上司が机をはさんだ席に座り、私の仕事ぶりを1時間も眺めていました。

　それから約半年ほどたった頃のことです。同じ部門に所属していたある男性の仕事ぶりを上司が気に入らなかったようで、その人が担当していたマニュアルを私が引き継いで作成できるか打診がありました。そのとき私はすでに5種類のマニュアルを担当しており、その人が担当していたマニュアルは3種類分にも相当するページ数の多いものでした。私は、あまり自信はありませんでしたが、上司が困っているのではないかと思い、「それでは頑張って作成してみます」と言ってその仕事を受けました。思った以上にその量が多く、毎月100時間以上もの残業をしましたが、それでも予定日より1週間ほど完成日が遅れてしまいました。そんなある日、上司の部屋に来るように言われました。おそらく、毎月長時間残業をして必死で仕事を頑張っている姿を見て、褒めてくれるのではないかと甘い期待を抱いていましたが、上司は私に「きちんと予定日までに仕事を完了できると約束して受けたのではないのか、予定日に遅れている理由は何か」と厳しく追及してきたのです。私は、「2人分の仕事を受けてから長時間労働で頑張ったが、思ったよりも仕事量が多くて間に合わなかった」と言いました。すると、「今になって頑張ってみたけど無理でしたというのは言い訳に過ぎない、受けたときにできそうもないと言ってくれれば、あなた以外の人に頼んだのに」と叱られました。そのときに、アメリカでは、一生懸命働くことより、期日通りにやることのほうが大切なのだと学んだのです。

CHAPTER 8

会社説明

　海外の会社との取引を開始するに当たり、取引先に対して自社の説明をする必要があります。英文のパンフレットを手渡して「我が社のことはここに書いてあります」と言って済ませることはできません。あまり英語が上手でなくても、一生懸命に相手に伝えようとすれば、相手は好印象を持ってくれることでしょう。ただしぶっつけ本番はいけません。同僚や上司にお客様に見立てて、少なくとも3回はリハーサルをすべきです。そして、自分の説明の不備な点や理解しにくい点を指摘してもらい、それを自分の資料に反映させて、改善しなければなりません。発音が難しい単語や表現は、繰り返し練習してスムーズに発音できるようにしてください。

　会社の沿革はチャートを使って、会社の設立から今日に至るまでの、大事な節目となる出来事に触れて編年体で説明するとよいでしょう。経営方針については、そのいわれや、日頃からどのようにその方針を従業員たちが遵守しているかについて触れます。

　製造会社であれば、製造設備の概要を説明し、主要製品を実際に見せてなおかつ触ってもらうと、特に喜んでもらえます。目玉商品を開発するまでの裏話や、他社の製品と比べた特長を紹介すればお客様の関心を引くことができるでしょう。輸出している場合には、輸出量や輸出相手国について述べ、自社ブランド以外に OEM でも製造している場合には、話せる範囲内でその出荷先についても触れるとよいでしょう。サービス産業であれば、コールセンターやお客様のご要望や、不満にどのように応えているか、またどの用な運用方法で処理しているか説明するとよいでしょう。

　最後に質疑応答を行い、疑問点についてお答えするとお客様のご満足を得ることができます。終了する前に、時間を割いてご清聴いただいたことに感謝するというのが、全体的な流れとなります。

会社説明を始める

TRACK 50

　会社の説明を行う場合には、基本的に★（ふつう）の表現で通すようにしましょう。★★（わりとフォーマル）や★★★（かなりフォーマル）の表現を使っていると、時間がかかり過ぎて効率的でなくなるからです。

★ 〔ふつう〕 **Welcome to Shonan Lens Manufacturing Company.**

湘南レンズ製造会社へようこそいらっしゃいました。

★ 〔ふつう〕 **I'm Norio Watanabe, a manager of communications here.**

私は渡辺紀夫と申します。広報部の管理者をしております。

★★ 〔わりとフォーマル〕 **I would like to briefly talk for 15 minutes about our company history, company policy, and major products and services.**

会社沿革、経営方針、ご提供する主要製品とサービスについて15分間で簡単にお話しさせていただきます。

★ 〔ふつう〕 **There will be a Q & A session at the end, so I'm going to ask you to save your questions until then.**

最後に質疑応答の時間をお取りしてありますので、それまではご質問をお控えくださるようお願いします。

会社沿革

　訪問者に、会社の全体像を知ってもらうためには、創立の目的、創立者、創立年度や、その当時の従業員数や扱っていた製品、資本金などを含めて述べます。その後、どのように成長し、変化していったかを解説します。

★ ［ふつう］ **First, I'll briefly cover our company history.**
最初に会社の沿革について手短にご説明いたします。

★ ［ふつう］ **Our founder, Takeo Suzuki started a small lens grinding plant with only five employees in 1960.**
我が社の創始者である鈴木武雄が、1960年に従業員わずか5名とともに小さなレンズ研磨工場を始めました。

★ ［ふつう］ **Thanks to the booming economy of Japan in the 1960s and 1970s, the number of employees increased from five to five hundred.**
1960年代と1970年代の日本の好景気のおかげで、従業員数は5名から500名に増加いたしました。

★ ［ふつう］ **Our revenue grew from a mere 300,000 dollars in 1960 to 300 million in 2015, or 1000 times in 55 years.**
売上は1960年の30万ドルから2015年には3億ドルと、55年間で千倍になりました。

★ ふつう **In other words, the revenue per capita increased from $60K to $600K, or a ten-fold growth.**

言い換えますと、1人当たりの売上が、6万ドルから60万ドルと10倍になりました。

> per capita は「1人当たりの」の意味。capita はラテン語の caput「頭」の複数形です。また、K は「千ドル」を意味します。$1K は one K と読みます。

経営方針

経営方針がある場合には、その方針がいつ頃どのように決定されたのか説明するといいでしょう。そして、日頃その方針が従業員たちによってどのように遵守されているかをつけ加えます。

★ [わりとフォーマル] **Secondly, I would like to talk about our company policies.**

次に、経営方針についてお話しさせていただきます。

★ [ふつう] **Our founder Takeo Suzuki proposed three policies in 1959.**

1959年に創始者の鈴木武雄が3つの方針を提案しました。

1. Customer First　顧客第一
2. Satisfaction Guaranteed　ご満足の保証
3. Best Quality　最高の品質

★ [ふつう] **Since then, all of our employees recite these three policies daily in our morning assembly.**

それ以降、全従業員は月曜から金曜までの朝礼でこの経営方針を繰り返し唱えてまいりました。

主要な顧客と製品

TRACK 51

主な顧客と製品について触れます。機密保持などの関係から、実際に製品を納めている顧客の名前を明らかにできない場合が多いものです。製品に関しては、主要な製品を取り上げてその詳細を紹介するといいでしょう。

★ ふつう **Our major shareholders are Japanese banks, and our main customers are large Japanese camera manufacturers.**

我が社の主要株主は日本の銀行で、主要顧客は日本の大手カメラメーカーです。

★ ふつう **Our major products are fisheye lenses, wide-angle lenses, normal lenses, telephoto lenses, and zoom lenses.**

我が社の主要製品は魚眼レンズ、広角レンズ、標準レンズ、望遠レンズ、ズームレンズです。

★ ふつう **We export our products to more than 50 countries.**

我が社は製品を 50 か国以上に輸出しております。

★ ふつう **We have sales offices in 10 major countries.**

営業所は主要 10 か国に設けております。

★ ふつう **We sell lenses on an OEM basis, as well as our own brand.**

我が社は自社ブランドまたは OEM でレンズを販売しております。

開発方法

ある1種類の製品を取り上げ、それを生み出すまでの苦労話や努力やマーケットの状況などを詳しく説明するといいでしょう。成功事例は、他社の人たちにとっても興味を持たれ、参考になることが多いからです。

★★ 〔わりとフォーマル〕 **Now I would like to talk about our developing strategy to create a new lens.**

それでは、このレンズを開発する際の戦略についてお話ししたいと思います。

★ 〔ふつう〕 **We've spent two years developing this lens.**

レンズの開発には2年を要しました。

★ 〔ふつう〕 **First we bought, disassembled, and tested all competitive lenses.**

はじめに、すべての競合他社のレンズを購入し、分解し、テストしました。

★ 〔ふつう〕 **Then all the people involved did their best to produce the finest 35 mm lens in the market.**

次に、関係者の全員が、ベストを尽くして市場で最高の35mmレンズを製造しました。

★ 〔ふつう〕 **We performed an extensive competitive analysis and managed to find out all the key**

characteristics to make an ideal lens.

詳細な競合分析を行い、理想的なレンズを製造するための大事な特徴を探し出すことに成功したのです。

保証とサービス体制

TRACK 52

自社の保証やサービス体制の特徴を、他社と比較しながらデータを使って説明するとわかりやすいものになります。自慢をするのではなく、淡々と事実に基づいて説明することが大切です。

★ 【ふつう】 **We are currently putting a three-year warranty on all the products we manufacture.**

我が社は現在、全製品に3年保証をつけております。

★ 【ふつう】 **This is the longest warranty in the market.**

これは、市場では最長のものです。

★ 【ふつう】 **We're additionally offering a free one-year replacement service.**

それに加えて、1年間の無料交換サービスも提供させていただいております。

★
★ 【わりとフォーマル】 **We are proud to say that no other lens manufacturer offers this service.**

我が社以外のレンズメーカーはこのサービスを提供しておりませんので、このことに誇りを持っております。

Q&Aセッション

TRACK 53

　Q&Aセッションは、前もって準備しておいた質疑応答の想定問題集のようなものを使って行うといいでしょう。複雑な数字やデータに関する質問に答える際には間違えないように、書面を見ながら答えたほうがいいでしょう。参加者との会話なので、★（ふつう）より丁寧な表現を用いることもあります。

★ ふつう **Now we'll have a Q & A session for five minutes.**
これから5分間の質疑応答セッションに入らせていただきます。

★ ふつう **Please feel free to** ask any questions.
どのようなご質問でも自由にどうぞ。

★ ふつう **Are there any questions?**　何かご質問はございますか？

★ ふつう **I have a question for you.**　1つ質問があります。

★ ふつう **What makes of cameras is this 35 mm lens compatible with?**
この35ミリレンズは、どのようなカメラにつけることができますか？
> be compatible with は「〜と互換性のある」の意味。

★★ わりとフォーマル **Thank you very much for** asking a good question.
良いご質問をいただきましてありがとうございます。

★ ふつう **There are five models, and each model is designed especially for one make of camera.**
このレンズには5つのモデルがあり、それぞれのモデルは1機種のカメラに対応するようにできております。

★ ふつう **Thank you. I'm clear on that now.**
ありがとうございます。その件はこれでよくわかりました。

★ わりとフォーマル **I would like to ask one more question.**
もう1つ質問させていただきたいと思います。

★ ふつう **What are the accessories for this lens?**
このレンズのアクセサリーにはどのようなものがありますか？

★ ふつう **Thank you for asking another excellent question.**
また、素晴らしいご質問をしていただきまして感謝いたします。

★ ふつう **There are two accessories for this lens.**
このレンズには2つのアクセサリーがございます。

★ わりとフォーマル **If there are no more questions, I'd like to end my presentation here.**
もしこれ以上ご質問がないようでしたら、これで私のプレゼンを終了させていただきます。

★ わりとフォーマル **Thank you very much for your time and cooperation.**
お時間を割いていただき、ご協力いただきまして感謝いたします。

★ ふつう **Please have a wonderful day.**
素晴らしい1日をお過ごしください。

喜ばれる日本からのお土産

　海外で暮らしている日本人ビジネスパーソンたちにはどんなお土産を持っていくと喜ばれるでしょうか？　実はとても好評なのが、日本の雑誌や文庫本です。その理由は、国にもよりますが、海外では日本の値段よりも2倍から3倍も高いからです。私がニューヨークに赴任していたときには、日本から短期出張で来た人が持ってきた文庫本や雑誌を、赴任中の人たちの間で回覧して読んでいました。女性に特に人気があるのが、お菓子や、焼き海苔やひじき、あおさなどの海産物です。男性には焼酎や日本酒や酒の肴になる鮭とばや柿の種、イカの燻製などです。子どもたちには、チョコレート菓子やスナック菓子、日本製のおもちゃなどです。

　逆に、海外の人が喜ぶ日本のお土産を取り上げてみましょう。値段があまり高くないもので人気なのが、お寿司のマグネットです。海外では冷蔵庫のドアにレシピなどを貼る際、マグネットがよく使われます。新幹線消しゴムも人気があります。最初は角ばっていますが、使い込むうちに角が丸くなり、本物の新幹線の形に近づいていくのが人気の秘密です。日本的なお土産としては、こけしや着物や富士山のキーホルダーです。少し値が張りますが、剣玉や独楽などは男の子に喜ばれます。大人の女性には、和柄の口紅入れやコンパクトや千代紙や、錦絵のミニチュア屏風などです。性別を問わず人気があるのが日本製の文房具です。ボールペンやサインペンや日本的な柄のついた消しゴム、プラスチックやビニール製のペンケースなどが人気です。100円ショップの和柄のノートやメガネケース、風呂敷、カレンダー、小物入れ、ハンカチなども喜ばれます。寒い国では、使い捨てのカイロやマスクなどが好まれます。目薬や塗るタイプの消炎鎮痛剤なども人気があります。5円玉は金色で真ん中に穴が開いている世界的に珍しいコインなので、喜ぶ人もいますが、価値が低いし海外では使い道もないので、相手を選んで渡すといいでしょう。

　私たち家族がニューヨークに住んでいたとき、夏休みに7人の親戚が

東京から訪ねてきました。ニューヨークで日本の食べ物を買うことはできますが、値段が高かったり、賞味期限が切れそうだったりします。妻がほしがったのは、海苔、梅干、ソース、醤油、ふりかけなどでした。アメリカに来る前に手紙を書き、これらの食べ物をできるだけたくさん持参してほしいと頼みました。

　親戚がニューヨークに到着する時間に、空港へ出迎えにいきました。到着出口の近くで懐かしい叔母の顔を見つけたのですが、いつまでたっても出てきません。なんと税関の職員に止められていたのです。手荷物や旅行かばんの中にある、日本から持参した大量のお土産についていちいち質問されていることがわかりました。海苔と梅干を英語で説明するのに苦労しているようなので、税関の役人に、「私が説明するので、あそこまで行かせてほしい」と頼みましたが、ゲート内に入ってはいけないと厳しく命令されました。

　海苔はどのように食べるのかと質問されたらしく、叔母は袋を開けて1枚の海苔を取り出し、口に入れて食べるそぶりをしていました。するとどんな味かと尋ねられたので、私が遠くから That seaweed tastes bland.（その海苔は味がしないんです）と大声でどなりました。次は梅干です。アメリカ人の考える plum は外側につやがあって、とても甘いのに、叔母が持参したものはつやもないので、何かおかしいと思ったらしく、1つ味を見てもいいかと尋ねました。役人は、その梅干のはじを少しかじると、びっくりして、それを手の平に吐き出しました。アメリカ人にとって甘いはずの plum が酸っぱいので、ショックが大きかったようです。その役人は、日本人は、味のしない海苔や酸っぱい梅干を食べる不思議な民族だと思ったようでした。そして、手で通過していいというジェスチャーをして、やっとのことで親戚一同は出てくることができたのでした。

COLUMN
日本からのお土産が功を奏すとき

　日本からニューヨークに4か月間出張したときのことです。私はテクニカルライターという職位で、コンピュータ用のマニュアルを英語で作成する仕事をしていました。私が書いていたマニュアルの印刷を外注に出す係のアメリカ人のところへ行き、大至急印刷を発注してほしいと頼んだところ、I have a million things to do this morning.（私は今朝、100万件もしなければならないことがある）と言うではありませんか。しかし私は頼みに行く前から、この担当者がすんなりと私の要求を聞いてくれないだろうと予想していました。そこで、封筒に入れておいた日本からのお土産をおもむろに取り出しました。それは800円ほどで買った、錦絵の描かれた卓上用のミニ屏風でした。私は、This is a small present from Japan for you.（これは日本からあなたのために持ってきたちょっとしたプレゼントです）、受け取ってくれますか、と尋ねました。するとどうでしょう。その担当者は、とたんにニコニコし始めて、机の上に積み上げられていた書類の山をすべて片側に押しのけて、机の上にスペースを作りました。そして、You really shouldn't do this, but I thank you for the wonderful present. Let me take care of your request right now.（本当に、あなたがこのようなことをする必要はないんですよ、でも、素晴らしいプレゼントをありがとう。今すぐ、あなたの要求に応えてあげましょう）と言うではありませんか。さっきまで、100万件も仕事があると言っていた人がいきなり、私の仕事を最初にやってくれると言うのかと、その態度の変化に驚いてしまいました。

　アメリカ人同士でのプレゼントの交換は、クリスマスや誕生日など、特別な場合に限られています。出張に行った人が、同じ部門の人たちにお土産を買って帰ることもありません。私のように仕事の相手にちょっとしたプレゼントを贈ることなど、考えられないのです。だからこそ、プレゼントを渡すと大いに効き目があるのです。

CHAPTER 9 交渉

　交渉をする際には、まずどのようなルールで行うのかを決める必要があります。お互いに何を基準にして交渉をしたいのか、意見を交わすことが大切です。たとえば企画を基準にすることもありますし、製造コストの詳細を1項目ずつ詰めていくのもいいでしょう。交渉をしていく上で相手の求めていることと自分たちの求めていることが違っていると気づいたときには、すぐにそのことを指摘し、どこがどのように違っているのか、詳細を検討します。早いうちに相違点をつぶしておかないと、時間がたつにつれ、溝が深まっていくものです。なぜ考え方が違うのか、その理由を明確にする必要があります。

　交渉は大きく分けて、win-win か win-lose かに分かれます。win-win はお互いに利益を得る形の交渉のことです。一方 win-lose は、片方だけが利益を得て、もう片方は不利益をこうむってしまう交渉のことです。「win-win で交渉しましょう」と約束して始めても、交渉を続けているうちに、そのことはまるで忘れてしまったかのように自分たちの利益ばかり追求してくる相手が時々います。

　そのような場合に備えて、別の交渉相手を予備として準備しておくことが大切です。これは「ハーバード流交渉術」の1つで、この交渉相手のことを BATNA と呼びます。BATNA［=Best Alternative To a Negotiated Agreement］は直訳すると「交渉が合意に至らなかった際の、最も良い代替案」で、「交渉する前に、その交渉が破綻したときのために準備しておく代案」のことです。この BATNA を準備することにより、現在交渉している相手と決裂しても構わないという余裕を持つことができます。相手も、自分たちとの交渉が決裂した場合には別の会社と交渉を始めそうだと感じれば、法外な要求や頑固な態度は改めて、妥協してくることでしょう。

交渉のルールを決める

TRACK 54

交渉を開始する前にどのようなルールに基づいて行うかを決める必要があります。そうしないと、細かいことに時間を使い過ぎて、本来の目的を達成できないことが起こる場合があります。たとえば購入価格を決めるのなら、歩留まり率や製造コストなどについて話し合うものと決めればいいでしょう。

★★★ かなりフォーマル　To start with, I was wondering if we should establish the overall negotiation guidelines.

始めに、全体的な交渉ガイドラインを決めたほうがよろしいのではないでしょうか。

> to start with は to begin with と同じく「始めに」を意味する決まり文句です。

★ ふつう　I completely agree with you.　全く同感です。

★ ふつう　Would you tell me your proposal?

あなたのご提案をおっしゃっていただけますか？

★★ わりとフォーマル　We would like to suggest that we clarify our requirements first, then would you explain how you came up with your current quotation?

最初に私どもが要求事項を明確にさせていただき、次に御社からいただいている見積もりをどのように作成されたのかご説明いただけませんでしょうか？

★★ わりとフォーマル　Will my suggestion be acceptable to you?

164　CHAPTER 9　交渉

私の提案でご了承いただけますでしょうか？

★★ わりとフォーマル **I would** say that will be a very reasonable proposal, and **there doesn't seem to be** any problem with that at all.

それは誠に妥当なご提案だと思います。全く問題はないようです。

同意する・異議を唱える

TRACK 54

　相手の意見や提案に同意する場合にも、反対である場合にも、はっきりと言う必要があります。言葉を濁していると、相手から信頼できない交渉相手だと思われかねません。また、交渉が終わってから「本当は同意していなかったのだけれど、仕方なしに交渉を続けざるを得なかった」などど陰で愚痴を言ったのでは、何のために交渉したのかわからなくなってしまいます。

カジュアル **I agree with your proposal.**

提案に同意いたします。

★ **ふつう** **I couldn't agree with you more.**

全く同意いたします。

★★ **わりとフォーマル** **I should say that's perfectly acceptable for us.**

それは、私たちも完全に同意できます。

★★ **かなりフォーマル** **I'm happy to say I agree with you 100%.**

100％同意すると喜んで言わせていただきます。

カジュアル **I disagree with you.**

同意できません。

★★ **わりとフォーマル** **Unfortunately, that doesn't seem to work for me.**

残念ながら、それは私どもにとってうまくいかないように思えます。

★★ わりと フォーマル **I'm afraid I had something different in mind.**

申し訳ありませんが、私は少し考えが違います。

★★ かなり フォーマル **Regrettably, I may have to express a slightly different opinion.**

大変申し訳ありませんが、少し違った意見を述べさせていただかなければならないようです。

理由を述べる

相手に異議を申し立てる際には、それ相応のしっかりとした理由を伝えなければなりません。ただ闇雲に反対したのでは感情的なしこりを残すことになってしまうからです。理路整然とした反対意見であれば、冷静に受け入れられることが多いものです。

★ わりとフォーマル **I would like to explain the reason for our position.**

我々が取る立場の理由を申し上げたいと思います。

★ わりとフォーマル **It's because of this that we weren't successful last time.**

前回、それが原因でうまくいかなかったからです。

★ わりとフォーマル **We believe that this requirement is essential for keeping our current customers.**

こちらの要望は既存の顧客を引きつけるのに欠かせないと考えております。

★ わりとフォーマル **Our main concern is that it is only a tentative action.**

私どもの主な心配事は、それが当座しのぎの行為に過ぎないということです。

確認する

自分の提案に対して相手がはっきり理解してくれているか、同意してくれているのかなど、きちんと確認することが大切です。お互いに相手の言っていることを理解しているつもりでも、後で理解が全く異なっていることに気づくなどということはよくあるものです。

★ **ふつう** **Will this be all right with you?**
これでよろしいでしょうか？

★★ **わりとフォーマル** **Could you be more specific?**
もっと具体的に言っていただけませんか？

★★ **わりとフォーマル** **Would you like to elaborate on that?**
もっと詳しく説明していただけませんでしょうか？

★★ **わりとフォーマル** **I would like to make sure that I understand what you're saying.**
あなたがおっしゃっていることを理解しているかどうか、確認させていただきたいと思います。

★★ **わりとフォーマル** **If I understood you correctly, you have another opinion.**
もしあなたのおっしゃっていることを正しく理解できたとすると、違った意見をお持ちだということですね。

★★ [わりとフォーマル] **So what you're saying is that you have a differing opinion.**

あなたがおっしゃっているのは、別のご意見をお持ちだということなのですね。

値段交渉する

　値段交渉では一般的に、売り手側は高い値段で、買い手側は安い値段で、商取引をしたいものです。最終的には、その中間くらいの値段で決着がつくのが普通です。このような交渉では、★★（わりとフォーマル）の表現を使ったほうが、相手に良い印象を与えられるので、目的を果たすことも容易になります。（以下の表現はすべて★★の表現に統一してあります）

★★ **わりとフォーマル** **So I understand that** we could supply your company with 50,000 tires a year at the unit price of $130.

御社に1年間に単価130ドルで5万本のタイヤを提供させていただくと理解しております。

★★ **わりとフォーマル** In terms of unit price, **may I ask** what you were thinking about?

単価に関してどのようにお考えか、質問させていただいてもよろしいでしょうか？

★★ **わりとフォーマル** Well, **we were hoping for** something around $80 each.

はい、80ドル前後が望ましいと思っております。

★★ **わりとフォーマル** Well, **please understand that** we have received quotations from several tire manufacturers.

よくご理解いただきたいのは、数社のタイヤ・メーカーから見積もりを受け取っているということです。

★★ わりと フォーマル **There may be** some room for price reduction.

まだいくらか値下げできる余地はございます。

★★ わりと フォーマル **If it is possible for you to** increase your current order quantity to 60,000 tires a year, then **we might be able to** lower the current unit price to $110.

現在の発注数量を年にタイヤ6万本に増やすことは可能でしょうか。それであれば、現在の単価を110ドルまで下げることが可能かもしれません。

★★ わりと フォーマル **That's a possibility**, but there is still a $30 difference from our target unit price of $80.

それは実現の可能性がありますが、それでもなお我が社の目標単価の80ドルからは30ドルも差があります。

★★ わりと フォーマル Well, **could you** meet us halfway at $95?

では、真ん中を取って95ドルにすることは可能でしょうか？

★★ わりと フォーマル If we can get an order of 60,000 tires per year, **we might be able to** offer $100 per tire.

年間6万本のタイヤの注文をいただけるのであれば、単価100ドルでご提供できるかもしれません。

★★ わりと フォーマル **I believe that we'll be able to** place an annual order of 60,000 tires at $100 each.

単価100ドルで年に6万本を発注できると思います。

否定する

価格交渉において、あからさまに相手の見積価格を否定したのでは、素直には値引きに応じてくれないものです。なぜ値引きが必要なのか、もし値引きしてもらえるのであれば大きな注文を発注する可能性があることなどを、ほのめかすことも大切です。交渉相手の会社で値引きの承認を得られるような理由を提供することも、上手な交渉方法の1つです。やんわり、かつ厳しくという感じで進めるのがよいでしょう。

★★ わりとフォーマル **There seems to be a slight misunderstanding.**

少し誤解があるようですね。

★★ わりとフォーマル **We are yet to place an annual order of 50,000 tires at $130 each.**

単価130ドルで5万本のタイヤの年間注文をするとは、まだ決めておりません。

★★ わりとフォーマル **Unfortunately, the current unit price of $130 is not acceptable to us.**

残念ながら、現在の130ドルの単価は私たちにとって受け入れられるものではありません。

★★ わりとフォーマル **I'm afraid that is out of the question.**

残念ながら、それは論外だと思います。

★ ふつう **I hate to say this, but** your current price is totally beyond our budget.

申し上げにくいのですが、現在の御社の値段は、我々の予算をはるかに超えています。

★★ わりとフォーマル **If we sold the tire at that price, we would** be losing money on every tire sold.

その価格でタイヤをご提供するとしたら、1本売るごとに損をしてしまうでしょう。

★★ わりとフォーマル **Unfortunately, we will not be able to** make any profits if we sell our product at your asking price.

残念ながら、ご希望の値段で我が社の商品をご提供すると、全く利益を上げられないということになってしまいます。

★★ わりとフォーマル **I was wondering if** they are sacrificing the quality of the tire for the lower price.

彼らは低い値段をつけるためにタイヤの品質を犠牲にしているのはないのでしょうか。

> they とは競合会社のこと。

要約する

長時間かけて交渉し、同意に達したこと、結論が出せなかったこと、宿題として双方がやるべきことを要約して確認することが大切です。要約した内容や議論の大筋は議事録の形にしてお互いに交換し、それをもとに次の交渉を始める必要があります。

★★ 〈わりとフォーマル〉 **I would like to summarize what we have achieved today.**

本日の成果を要約させていただきたいと思います。

★★ 〈わりとフォーマル〉 **We'll be in a position to place an annual order of 60,000 at the unit price of $100.**

単価100ドルであれば、年に6万本の注文を出せる状況になるでしょう。

★★ 〈わりとフォーマル〉 **The validity of this quotation is one week.**

この見積もりは、1週間有効です。

★★ 〈わりとフォーマル〉 **What you are referring to is precisely right.**

あなたのおっしゃっていることは全くその通りです。

★★ 〈わりとフォーマル〉 **We're looking forward to receiving your final answer in a week.**

1週間以内に、最終のお答えをいただけることを期待してお待

ちしております。

★★ **わりと フォーマル** **We'll try our best to get back to you with our final answer within a week.**

１週間以内に、私どもの最終のご返答をご連絡できるように最善の努力をいたします。

★★★ **かなり フォーマル** **We would appreciate it very much if you would make a compromise and place the order.**

ご譲歩をいただき、発注していただけましたら感謝いたします。

結びの言葉

交渉が終わったら、相手に対して感謝の気持ちを伝え、再会を期したり、その後どのように連絡を取り合ったりしていくのかなどを伝えて、結びの言葉にするといいでしょう。

- ★★ わりとフォーマル **Let's call it a day.** これで今日は終わりにしましょう。

- ★★ わりとフォーマル **We accomplished a lot today.**
本日は多くの成果を挙げることができました。

- ★★ わりとフォーマル **Thank you very much for your time and patience.**
お時間をいただき、忍耐強くお付き合いいただきましたことに感謝いたします。

- ★★ わりとフォーマル **The pleasure is ours.** こちらこそ嬉しく思います。

- ★★ かなりフォーマル **We are very pleased to do business with your company.**
御社と取引をさせていただくことをとても喜ばしく思います。

- ★★ わりとフォーマル **You'll be hearing from us within one week on this matter.**
この件に関して、1週間以内にご返事できると思います。

- ★★ わりとフォーマル **We appreciate it very much.** とても感謝しております。

COLUMN
日本の要求品質

　日本の輸入会社は、品質に関してとても厳しいと言われています。あるイギリスのシステム手帳の製造会社では、日本に輸出する品物に関しては特別に、出荷前に全品チェックを行っていると聞きました。革製のカバーに傷がないかどうかを、一品一品丹念にチェックしなければならず、人件費が余計にかかるので、他国向けの品物と比べて日本向けの品物は値段を高くせざるを得ないのだそうです。

　私の中学時代のクラスメートが、イタリアからスポーツカーを輸入していました。彼の話によると、輸入車すべての下の部分の塗装を一度はがして、再塗装をしていると言うではありませんか。輸入したそのままの状態で販売したところ、多くの日本のお客からクレームが入ったそうです。「下の部分の塗装の仕上げが雑で、このままでは錆が怖い。何もしてくれないのであれば返品したい」と強く言われ、「下の部分の塗装をやり直すので、それで勘弁してほしい」と納得してもらったそうです。その後は同じクレームが来ないように、輸入した全車の再塗装を行っているとのことでした。私は、日本とイタリアではそんなに要求品質が違うのかと、驚きました。

　話は少し変わりますが、日本とアメリカのビジネスショーで、私が製品説明をしたときの体験談をご紹介します。日本のお客は、新製品の説明を始めると必ずと言っていいほど、旧製品と比べて性能的にどこがどのくらい良くなったのかを質問してきます。そこで、改善されたスペックに関して説明することになります。一方、アメリカのビジネスショーでは、お客は、この機械が自分の使用目的を満たしているかどうかを知りたいという方が多いです。新しい機能が自分の使用目的と関係がないのであれば、質問さえもしてきません。実に、現実的で実際に即した考え方を持っています。一方、日本人は自分の使用目的に関係なく、新しい機能についての知識を得ることにより重きを置いています。スペック・オタクがたくさんいるとも言えるのではないでしょうか。

CHAPTER 10
注文

　部品調達は簡単なことではありません。どの会社に注文すれば品質の良い部品をリーズナブルな価格で製造してくれそうか、調査する必要があります。大企業が必ずしも良いとは限りません。会社が大きくなれば、賃金も高く、一般管理費や営業経費も高いのが普通で、結果として見積価格も高くなりがちです。小さすぎる企業も、経営状態が不安定だったり、生産能力が少な過ぎたり、品質管理が十分でなかったりする場合があります。従ってバランスの取れた中堅の業者に見積もり依頼を出すことになります。3社以上に見積もりを依頼し、数週間の見積もり期間の後に見積もりを受け取ります。

　この際に気をつけなければならないのは、交渉相手を最初から1社に絞らないことです。1社だけに絞ってしまうと、最終的に、その業者との交渉が決裂した場合には、また最初から別の会社と交渉をスタートしなければならなくなるからです。これでは時間を大きくロスすることになってしまいます。

　発注先を決定する際に、見積価格以外にも大切なのは、品質管理体制、生産能力、労使関係、財政状態や主要取引先や銀行のサポートなどでしょう。また、現在の取引先から、その会社のこれまでの評判を参考として聞ければなお良いでしょう。受け取った見積価格、支払い条件や納期などの条件が合わない場合には数社と交渉を行い、一番良い条件の会社に発注します。

　しかし、注文を出したままではなく、生産の進捗状況を時々チェックする必要があります。納品された品物には受け入れ検査を行い、検査に合格すれば、それで支払いをします。しかし、不良品があれば、代替品を納品してもらい、その後支払いを行います。

　海外との取引の場合には、品物を船に乗せたときに支払い義務が発生するのが普通です。従って、納品された品物が不良品だった場合には、国をまたいでいるので、その後の処理は複雑で煩雑になります。

見積もりを依頼する

見積もり依頼のことを Request for Quotation、略して RFQ と言います。quotation の他に、quote, estimate, estimation などの単語も見積もりを意味し、会話の中で使われることが多いです。

カジュアル **Please submit your quotation.**
見積もりを提出してください。

ふつう **Would you submit your quotation?**
見積もりを出していただけますか？

わりとフォーマル **I was wondering if you could submit your quotation.**
見積もりを提出していただけますでしょうか？

かなりフォーマル **We would appreciate it very much if you would submit your quotation.**
見積もりを提出していただければ、とても感謝いたします。

見積もりを提出する

TRACK 59

買い手側のスペックシート（spec sheet、specification sheet）や図面（drawing）に基づいて、だいたい数週間から1か月以内に見積もりを提出するのが一般的です。自社製品の見積もりの場合は、数日から1週間程度で提出します。

カジュアル **Here is** our quotation.
これが我々の見積もりです。

★ **わりとフォーマル** **We would like to** submit our quotation.
見積もりを提出させていただきます。

★ **わりとフォーマル** **We are honored to** submit our quotation.
見積もりを提出させていただくのは名誉なことです。

★★ **かなりフォーマル** **We would appreciate it very much if** you would accept our quotation.
見積もりをお受けいただけましたら、とても感謝いたします。

見積もりについて話し合う

見積もりを受け取ったら、どのような考えで見積もりを作成したのかについて相手の会社と話し合う必要があります。しかし、すべての会社と話し合う必要はありません。自分たちが想定していた購入希望価格に近い見積価格を出してきた相手とのみ話し合います。

［カジュアル］ Let's talk about your quotation.

そちらの見積もりについて話をしましょう。

［わりとフォーマル］ We would like to talk about your quotation.

そちらの見積もりについてお話ししたいのですが。

［わりとフォーマル］ I was wondering if we could talk about your quotation.

そちらの見積もりについてお話しすることは可能でしょうか。

［かなりフォーマル］ I would appreciate it very much if I could talk about your quotation.

そちらの見積もりについてお話しさせていただければ、とても感謝いたします。

見積もり内容を確認する

発注する可能性のある会社の見積もりは、詳細に内容を確認しなければなりません。買い手側が考えている品物を作る能力や経験が本当にあるのか、しっかりと知る必要があります。注文を取りたいために、とても安い価格で見積もってくる業者もあるからです。

［カジュアル］ I need to clarify your quotation.
そちらの見積もり内容を確認する必要があります。

［わりとフォーマル］ I would like to clarify your quotation.
そちらの見積もり内容を確認させていただきたいのですが。

［わりとフォーマル］ I was wondering if you would clarify your quotation.
そちらの見積もり内容を確認させていただくことは可能でしょうか。

［かなりフォーマル］ I would appreciate it very much if you would clarify your quotation.
そちらの見積もり内容を確認させていただければ、とても感謝いたします。

価格交渉する

　価格交渉をする際には、見積もりを提出してきた相手が、歩留まり率をどのくらいに考えているかを確認しましょう。歩留まり率とは、製造した製品の何％が合格になるかという数字です。たとえば、1,000個作って900個が合格であれば、歩留まり率は90％となります。

★ ふつう **What is your current yield rate?**
現在の歩留まりは何％ですか？

★ わりと フォーマル **May I ask your current yield rate?**
現在の歩留まりをお聞かせいただけますか？

★ ふつう **Our current yield rate is 92%.**
現在の歩留まりは92％です。

★ わりと フォーマル **Yes, you may. Our current yield rate is 92%, but the annual average is 89%.**
もちろんです。現在の歩留まりは92％ですが、1年平均では89％です。

▶ Yes, you may. は、May I ask ～? に対する答えの表現です。

★ ふつう **Can you improve your current yield rate?**
現在の歩留まりを改善できませんか？

★ わりと フォーマル **Is there any possibility of increasing your**

current yield rate?

現在の歩留まりを改善できる可能性はございますか？

★ ふつう **We'll try but are not sure if we can get any higher rate.**

努力してみますが、さらに高い率を得られるかどうかわかりません。

★★ わりと フォーマル **We'll do our best, but might not be able to commit to a higher rate at the moment.**

全力を尽くしますが、現在のところ、さらに高い率をお約束することはできないかもしれません。

さらに価格を下げてもらう

TRACK 61

　一度の価格交渉だけで、希望する価格まで下げてもらうことはなかなかできないのが普通です。少なくとも数回の価格交渉が必要です。別の会社からも見積もりを取っていることなどを述べて、値下げをリクエストする必要もあるでしょう。

カジュアル **We need a price reduction from you.**

値段を下げてもらう必要があります。

★★ **わりとフォーマル** **We would like to request a further price reduction.**

さらに値下げをリクエストさせていただきたいのですが。

★★ **わりとフォーマル** **We were wondering if we could request a further price reduction.**

さらに値下げしていただくことは可能でしょうか。

★★ **わりとフォーマル** **We were wondering if you could reduce your current price.**

値下げをしていただくことは可能でしょうか。

★★★ **かなりフォーマル** **We would appreciate it very much if you would reduce your price.**

値下げをしていただければとても感謝いたします。

発注する

注文書のことを order sheet と呼びます。その注文を受けた確認書は order acknowledgment や order confirmation と呼びます。「発注する」は place an order または place our order が決まり文句です。「発注」は正式には order placement と言います。

カジュアル **This is our order.**
これが注文です。

★★ **わりとフォーマル** **We would like to place our order.**
発注させていただきたいのですが。

★★ **わりとフォーマル** **We are very pleased to place our order with you.**
喜んで発注させていただきます。

★★ **かなりフォーマル** **It's our utmost pleasure to place our order with your company.**
御社に発注させていただくことは、我々にとって最高の喜びです。

入荷を確認する

「出荷品」を shipment と言います。ある注文の最初の出荷品は first shipment で、最後のものは last shipment と呼びます。「配達物」を delivery と呼びます。「製造ロット」のことを manufacturing lot と呼びます。これは、同じ組み立てラインで一度に生産された複数の製品のことです。

カジュアル　We received your shipment.

貨物を受け取りました。

わりとフォーマル　We would like to acknowledge your shipment.

貨物の受領を確認させていただきます。

わりとフォーマル　We are pleased to acknowledge the receipt of your shipment.

喜んで御社からの貨物の受領を確認させていただきます。

かなりフォーマル　We are honored to acknowledge the receipt of your shipment.

御社からの貨物の受領を確認させていただくことを光栄に思います。

検査結果を伝える

受領した品物が受け入れ検査に合格して初めて、検収処理を経て注文書上の条件に基づいて仕入先に支払いが行われます。検査が不合格だった場合には、どのような検査をしてどこが不合格だったか、詳細を相手に伝えて改善してもらう必要があります。

カジュアル **Your shipment didn't pass our test.**
御社の貨物が当社の検査で落ちました。

★ **わりとフォーマル** **Unfortunately, your recent shipment was not able to pass our receiving test.**
残念ながら、御社の先日の貨物が当社の受け入れ検査に通ることができませんでした。

★ **わりとフォーマル** **Regrettably, your recent shipment failed to pass our receiving test.**
残念ながら、御社の先日の貨物が当社の受け入れ検査に通りませんでした。

★★ **かなりフォーマル** **We regret to inform you that your recent shipment was not able to pass our receiving inspection.**
大変申し上げにくいのですが、御社の先日の貨物が我が社の受け入れ検査を通ることができませんでした。

代替品を要求する

TRACK 63

　納入された品物に対して代替品が必要になることもあります。その場合、検査に不合格になった納品ロットの中から、良品だけを選別したり、不合格で足りなくなった分は新たに製造してもらったり、在庫にあるものから納品してもらったりします。代替品納品の期日を相手に伝えることも大切です。

カジュアル　We need replacement parts immediately.

代替部品が大至急必要です。

★ **ふつう　We are in need of replacement parts urgently.**

代替部品を大至急必要としております。

★ **わりとフォーマル　We would like to get replacement parts as soon as possible.**

代替部品を大至急いただきたいと思います。

キャンセルする

TRACK 64

あまりないほうがいいことですが、注文をキャンセルせざるを得ないことも起きます。キャンセルする際に発生するキャンセル料金に関する条項は、発注時に決めておかないと、キャンセル時にもめる原因になりかねません。

カジュアル **We are canceling our order.**
注文をキャンセルします。

★ **ふつう** **We need to cancel our order.**
注文をキャンセルしなければなりません。

★ **わりとフォーマル** **We would like to cancel our order.**
注文をキャンセルさせていただきたいのですが。

★★ **かなりフォーマル** **Unfortunately, we regret to inform you that we are in need of requesting a cancellation of our order.**
残念ですが、注文をキャンセルさせていただくことをお伝えいたします。

COLUMN
sorryと言わないアメリカ人

　ニューヨークに住んでいたときに、フロリダへ車で家族旅行に出かけました。フロリダに近くにつれ、時々見かける看板が気になってきました。その看板にはArrive Alive in Florida（生きてフロリダに到着しなさい）と書いてあり、「途中、交通事故で死亡することなく、生きた状態で到着しろ」という厳しい内容のものだったのです。私が住んでいたウッドストックからフロリダまでは、車で約20時間も距離がありました。あとフロリダまで約1時間というとき、スーパーマーケットの駐車場から1台の車が、私の車が走ってきた広い道に、一時停止することなく入ってきました。私は急ブレーキを踏みましたが間に合わず、その車の横にフロントから突っ込みました。私としては、事故を避けるために急ブレーキを踏んで避けようとしたので、落ち度はないと思いました。しかし相手の老人のドライバーは、私がパニックを起こして急ブレーキを踏んだから悪いのだと強調し、一切 I am sorry. と謝りませんでした。私は、前々から、アメリカ人は交通事故を起こしたときには絶対に謝らないということを聞いていましたので、自分に落ち度があっても、やはり謝らないのだなと認識を新たにしました。

　私とその相手のドライバーがもめていると、周りに人が集まってきました。その中にいた1人の男性が、「自分は事故を目撃していたけれど、突っ込んだ車の運転手に落ち度はない、相手のドライバーが一時停止をしないで駐車場から本道へ入ったのが原因だ」と肩を持ってくれました。おまけに、裁判になったら法廷に出て、そのように証言してくれるとまで言ってくれたではありませんか。sorryと自分の非をどうしても認めない人もいれば、頼んでもいないのに法廷で証言までしてくれるという人にも会って、アメリカ人は様々だなと感じました。

　結果として、お互いの保険会社が話し合い、過失割合は相手が70%、私は30%ということでけりがつきました。

CHAPTER

11

クレーム・謝罪

　私がIBMのコンピュータ製造工場で働いていたときのことです。あるコンピュータ部品がイタリアから100個入庫する予定でしたが、91個しか到着しませんでした。私はクレームのメールを送り、残りの9個はいつ送ってくれのかと督促したところ、2か月後との返事が来ました。そんなに長くは待てないから、もっと早くしてほしいと何度も連絡しましたが、何の返事も来ませんでした。ところがその約1週間後のこと、私宛てにイタリアから品物が届いたことを知りました。内容を調べてみると、2か月かかると言われていた9個の部品でした。さっそくイタリアに感謝のメールを送り、なぜそのように早く入手できたのかを尋ねました。すると、偶然、部品が在庫に残っていたので、それを送ったのだとの返事でした。

　この話には後日談があります。数か月後のこと、イタリアへ出張していた同僚から、その9個の部品は、製造ラインにあったコンピュータから取り外して送られたものだったと聞きました。部品が外されたコンピュータは、出荷できずに大問題になったそうです。

　クレームでは、感情的にならずに冷静に、何が起きたかを、大げさでない論理的な表現で伝えることが必要です。あなたが感情的になると、相手も感情的になってしまい、言い争いや罵り合いになりかねません。丁重で上品な言葉で依頼しましょう。

　欧米では謝罪の際に、3つのRを考慮する必要があると言われています。
1. Regret、2. Responsibility、3. Remedy です。
   1. Regret…間違いを起こしてしまったことに対して遺憾の意を表すること。（例：会議に大幅に遅れて、大変申し訳ない）
   2. Responsibility…間違いを起こしたことの責任。（例：前の会議の終了予定時間の読みが甘かったのは自分のせいである）
   3. Remedy…同じ間違いを繰り返さないための改善法。（例：同じ間違いを繰り返さないように、他の会議を前に組まない）

　この章では、クレーム対応の際のやり取りと、3つのRで使う謝罪の表現をご紹介します。

クレームを入れる

TRACK 65

それではこれから、半年前に購入した携帯電話の充電が十分にできなくなったと想定してみてください。それをコールセンターの担当者に英語でどのように伝えればよいでしょうか。様々な表現をご紹介します。

カジュアル **Something might be wrong with my cellphone. The battery runs out very quickly. I forgot where I bought it.**

私の携帯電話は、どこかおかしいようです。バッテリーが、あっという間になくなってしまいます。どこで買ったか忘れてしまいました。

> 携帯電話がおかしいと推定しています。どこで買ったかも忘れているなど、自分の落ち度に対する謝罪の気持ちは全く感じられません。これでは、受けたサポートセンターの人も、喜んで助けてあげたいとは思わないのではないでしょうか。

★ ふつう **I can't fully charge my cellphone battery. I bought it at your store.**

携帯電話のバッテリーを十分に充電することができません。そちらのお店で購入したものです。

> 携帯電話のトラブルについては、はっきりと問題点を挙げています。購入したお店についてもきちんと言っています。

★★ わりとフォーマル **I'm not able to fully charge my cellphone battery that I bought from your store six months ago.**

6か月前にそちらのお店から購入した携帯電話のバッテリーを十分に充電することができません。

> かなり理性的に問題点を伝えているので、普通に使うにはこれで十分でしょう。

CHAPTER 11　クレーム・謝罪

[かなりフォーマル] **I would like to get your help with** my cellphone that I bought from your store six months ago. It has been working very well, but recently the battery started running out in less than one day.

6か月前にそちらのお店で購入した携帯電話に関してお力を貸していただきたいのですが。今まではとても順調でしたが、最近、バッテリーが1日ももたなくなってきました。

> I would like to を使ったフォーマルな表現です。

[かなりフォーマル] **I would like to report that** my cellphone battery doesn't last even one day. I've bought several cellphones from your stores over the past five years.

私の携帯電話のバッテリーが1日ももたないということを報告させていただきます。そちらのお店から、過去5年間に数台の携帯電話を購入しております。

> 自分がそのお店の昔からの客であることを伝えています。

[NG] I'm not comfortable with my cellphone. The battery runs out very quickly even after charging it fully. In addition to this, it's very complicated to use. I hate its color too.

私の携帯電話には満足していません。完全に充電した後でも、すぐになくなってしまいます。おまけに、取り扱うのがとても複雑です。色も嫌いです。

> 八つ当たりしているようで全く理性的でありません。

[ふつう] **Please** let me know what I should do about

my cellphone.

私の携帯をどうすればいいか教えてください。

> やや丁寧な言い方ですが、あまりにも要点だけしか言っておらず、冷たい言い方をしているので、このクレームを受けたコールセンターの人はあまりいい感じがしないでしょう。

★★ わりと
★★ フォーマル **I would like to get your assistance on this matter.**

この件について、お力を貸していただけないでしょうか。

> 冷静に相手の助けを求めています。

★★ わりと
★★ フォーマル **I hope I'll be able to get your assistance on what I'm supposed to do about this cellphone.**

この状況で、私はこの携帯電話をどうすればよいかお力を貸していただくことはできますでしょうか。

> お願いはあくまでも丁重にしているので、サービスセンターの人をいい気持ちにさせて、完璧なサポートを得られるでしょう。

★★ かなり
★★ フォーマル **I would appreciate it very much if you could expedite the repair service as I can't live a day without it.**

1日なくても、生きていけないほど困りますので、修理を急いでいただけましたら、とても助かります。

> expedite は「〜を早める」の意味です。ちょっとユーモアがあるところも見せているので、対応に出た人のフルサポートを得られると思います。

NG **In short, I want a full refund or replacement at no charge.**

つまり、全額返金してもらうか、代替品をただでもらうことを要求します。

> 相手に対して全く容赦のない自分勝手な表現です。

クレームに対応する

クレームの電話をしてくる人は、そもそも、購入した品物に不平や不満があるので、いらいらした精神状態でいるものです。従って、明るく、感じ良く応対することが大切です。感情を逆なでするような、冷たい、事務的な受け答えは慎まなければなりません。

［わりとフォーマル］ Thank you very much for your call.

お電話を頂戴いたしましてありがとうございます。

［わりとフォーマル］ Since your cellphone is still under warranty, you are entitled to our free replacement service.

お客様の携帯電話はまだ保証期間内とのことですので、無料で交換を受ける権利がございます。

> under warranty は、決まり文句で「保証期間内」を表します。be entitled to は「〜の権利がある」の意味。

［わりとフォーマル］ Please kindly send your cellphone to the address on the warranty card.

お持ちの携帯電話を、保証書にある住所宛てにお送りください。

［かなりフォーマル］ We hope that you will be pleased to learn that you will get a new phone on the same day we receive your phone.

お客様の携帯電話が弊社に届いたその日に、新しい電話をお届けするようにいたしますので、ご理解いただければ幸いです。

★★★ かなり フォーマル **Regrettably, we would like to have about a month before sending you a replacement.**

申し訳ありませんが、代替品をお送りするまでに約1か月いただいております。

★★★ かなり フォーマル **We regret to inform you that we will need about a month before sending you a replacement.**

申し上げにくいのですが、代替品をお送りするまでに、約1か月いただいております。

謝罪の「3つのR」 1.Regret

章扉でご紹介した、謝罪の「3つのR」(Regret、Responsibility、Remedy)について、1つずつご紹介していきます。

Regretは、間違いを起こしてしまったことに対して遺憾の意を表することです。謝るのであれば、素直な気持ちできちんと謝ったほうが、相手から好印象を得られます。中途半端な、謝っているのか言い訳しているのかわからないような謝り方は避けなければいけません。ここでは、会議に遅れた際の謝罪表現をご紹介します。

カジュアル Sorry for being late.
遅くなってすみません。
> sorryとは言っていますが、心から申し訳なく思っている感じは含まれていません。

ふつう I'm sorry for being late.
遅くなって申し訳ありません。
> I'm sorry で始めているので、少し丁寧ですが、まだカジュアルの域を脱していません。

わりとフォーマル I'm really sorry that I'm very late.
大変遅くなって本当に申し訳ございません。
> reallyが入っており、大変申し訳ないと思っている気持ちは伝わりますので、普通に使っても失礼にはあたりません。

かなりフォーマル Please accept my apologies for being late for the meeting.
会議に遅れたことに関して、どうか私の謝罪をお受け入れください。

> Please accept my apologies for 〜は、かなりフォーマルな表現です。謝罪を受け入れてくれるかどうかを相手に託しているところに上品さが感じられます。

★★★ かなり
フォーマル **I'd appreciate it very much if you could accept my apologies for being late for the meeting.**

会議に遅れたことに関する私からの謝罪をお受け入れいただければ、本当に感謝いたします。

> 上の表現にプラスして I'd appreciate it very much if you could 〜（〜していただければ、とても感謝します）という決まり文句が入っていますので、とてもフォーマルな表現です。

NG **Excuse me. / Sorry.**

すみません。

> ちょっと体が相手に触れた際には、これでも十分ですが、会議に遅れた場合には、全く不十分です。

謝罪の「3つのR」 2.Responsibility

　Responsiblityは、間違いを起こした責任です。何かが起きたのには理由があります。言い訳というわけではなくても、正当な理由とその責任を相手に伝える必要があります。不可抗力によるものであれば、責任はないかもしれませんが、相手に迷惑をかけたことは事実です。

カジュアル **The previous meeting went over.**

　前の会議の時間がかかり過ぎました。

▶ このようなことはよく起こりますから、遅れた理由としては貧弱です。

カジュアル **The previous meeting didn't finish on time.**

　前の会議が時間通りに終わりませんでした。

▶ これも上の表現と同じように、遅れたことに対する正当な理由にはなりません。

★ **ふつう** **I'm sorry, but I misjudged the ending time of the previous meeting.**

　申し訳ありませんが、前の会議の終了時刻を読み違えました。

▶ misjudgeという言葉を使って、自分の非を素直に認めていますので、相手の気持ちは和らぐのではないでしょうか。普通に使って問題のない表現です。

★★★ **かなりフォーマル** **I'm very sorry to inform you that the previous meeting lasted much longer than I expected.**

　大変申し訳ありませんが、予想していたよりも、前の会議がずっと延びてしまいました。

▶ I'm very sorry to inform you 〜は、何か言いにくいことを丁寧に切り出すときの決まり文句です。なおかつ、「自分の予測よりも延びた」と非を認めていますので、かなりフォーマルな表現と言えます。

NG **It's not my fault to be late because the previous meeting didn't finish on time.**

前の会議が時間通りに終わらなかったので、遅れたのは私のせいではありません。

> これが本当の理由かもしれませんが、あまりに露骨過ぎで、相手をカッとさせてしまうことになります。しかし、このように自分に責任はないとはっきり言う外国人はたくさんいます。

謝罪の「3つのR」 3. Remedy

Remedy は、同じ間違いを繰り返さないための改善法です。今後は同じミスを起こさないと確約することが大切です。起こってしまったことは取り返しがつかないので、これから同じミスをどのようにして避けるかを具体的にすることが大事です。

カジュアル **I won't be late again.**

今度は遅れません。

> 形としては、遅れないことを言っていますが、表現が簡略すぎて心がこもっていません。

★ ふつう **I'll try to be on time next time.**

次回は、時間通りに来るように努力します。

> I'll try で「努力はする」と言っており、頻繁に使われます。

★★ わりとフォーマル **I'm very sorry, but I'll make sure not to be late again.**

大変申し訳ありませんが、今後は決して遅れないように十分に確認いたします。

> make sure には何かを確実に行うという努力の気持ちが含まれています。それに not to be late again は二度と遅れないという強い意志も入っているので、ややフォーマルな表現になります。次の表現もほぼ同じ意味で使われます。

★★ わりとフォーマル **I'm terribly sorry, but I'll make sure to be more punctual in the future.**

大変申し訳ありませんが、これからは必ず時間を厳守いたします。

★★★ わりと フォーマル **I promise you that** I won't plan any prior meetings before ours from now on.

> 今後は、我々の会議の前には別の会議を入れないことをお約束いたします。

> promise を使っているので、ややフォーマルな表現になります。さらに強調して言いたい場合には、promise の前に firmly を入れればよいでしょう。

★★★ かなり フォーマル **I make a firm promise that** I won't plan meetings directly before ours in the future.

> これからは、我々の会議の直前には決して別の会議を入れないことを固くお約束します。

> make a firm promise と won't plan という強い言葉を使って約束しているので、とてもフォーマルな表現と言うことができます。

NG **I'll come earlier next time.**

> 次は、もっと早く来ます。

> 子ども同士の会話ではないのですから、こんな簡単な表現をビジネスで使ってはいけません。

CHAPTER 12

レストランでの接待と接客

　グローバルなビジネスを進めていく上で、海外のお客様を接待する機会も増えてくるでしょう。お客様を一流レストランにご招待した際に、どのような表現を使えばよいか悩んでいる方も多いのではないでしょうか。日常のビジネス英語ではあまり使わない表現に戸惑うこともあると思います。しかし、一通り決まり文句を覚えてしまえば、それ以上の表現はほとんど出てきませんので、逆に楽だとも言えます。

　また一方で、レストランで働く方々からも、海外のお客様に対して使えるフォーマルな表現を知りたいという声がたくさん上がっています。

　そこでこの章では、「レストランで接待を行う場合の日時調整から注文、お支払いまでの表現」と、「レストランで働くスタッフの方々の接客表現」とを、フォーマルな表現を中心にご紹介します。

　接待では、まず事前にお客様の予定を尋ねて、接待の日時や食事の種類を決めます。次に、レストランに予約を入れます。そして当日、お客様をお店にお連れします。欧米のレストランでは、予約を入れておいても、席の準備ができるまで少し待たされることがよくあります。その場合にはレストランの一部にあるバーでアルコール類を飲みながら待ちます。テーブルの準備ができると接客係が案内してくれます。アメリカの高級レストランで働く接客係は収入の大半をチップから得ています。従ってそのテーブル担当の接客係に食事を注文しなければなりません。偶然通りかかったスタッフを呼び止めて強引に注文するようなことは決してしてはいけません。

　次に食事の注文をします。多くのレストランでは Today's Special（本日のスペシャル料理）や Catch of the Day（本日釣りたての魚）をお勧め料理として提供しています。また Soup of the Day（本日お勧めのスープ）などを表示しているところもあります。コーヒーは何杯飲んでも1杯分の料金でお代わりできるのが普通です。

（接待する側）日程を確認する

TRACK 69

ビジネスに接待はつきものです。昨今では接待費の削減が求められていますが、やはり大きなビジネスを成功させるためには、ある程度の接待も必要になるものです。ここでは、海外のお客様を食事に誘う表現をご紹介します。

カジュアル **Are you free this weekend?**
今週末はお暇ですか。

★ **ふつう** **What does your schedule look like this weekend?**
今週末のご予定はどうなっていますか？

★★ **わりとフォーマル** **I was wondering if you would be available this weekend.**
今週末のご都合はいかがでございますか。

カジュアル **I'm free.** 空いています。

★ **ふつう** **I believe I'm free this weekend.**
今週末は、空いていると思います。

★★ **わりとフォーマル** **Thank you for asking. I'm available this whole weekend.**
お尋ねいただきましてありがとうございます。今週末でしたら結構です。

カジュアル **Why don't you come to my house for dinner?**
私の家に食事に来ませんか？

★ **ふつう** **Could you come to my house for dinner?**
私の家に食事にいらっしゃることはできませんか？

★ **わりとフォーマル** **I was wondering if** you could come to my house for dinner.
私の家へ食事にお越しいただくことは可能でしょうか。

カジュアル **That sounds nice.** それはいい考えですね。

★ **ふつう** Yes, **I surely could.** はい、もちろん伺えますよ。

★ **わりとフォーマル** Yes, **I would be very glad to** come.
はい、とても喜んでお伺いさせていただきます。

カジュアル **What about** 6 pm this Saturday?
今週土曜日の午後6時ではどうですか？

★ **ふつう** **Would you** come to my house at 6 pm this Saturday?
今週土曜日の午後6時に家に来ていただけますか？

★ **かなりフォーマル** **I would appreciate it if** you could come to my house at 6 pm this Saturday.
今週土曜日の午後6時に我が家にお越しいただけたら感謝いたします。

カジュアル **Thank you. See you then.**
ありがとう、それではそのときに会いましょう。

★ **ふつう** **Thank you for** your kind invitation.
ご親切にお誘いいただいて感謝します。

★ **わりとフォーマル** **I'm very grateful for** your kind invitation. I'm looking forward to the dinner.
ご親切にお誘いいただきましてとても感謝しております。お食事を楽しみにしております。

（接待する側）日程を確認する

（レストラン側）お客様を迎える

レストランへお客様を迎え、予約の有無を確認してテーブルにご案内します。日本では最初に飲み物の注文を取るのが普通ですが、海外では食事を注文した後で、飲み物を注文します。この違いは、十分に認識しておかなければなりません。

Welcome to La Rosa. May I ask if you made a reservation?

ラ・ローザへようこそいらっしゃいませ。予約がおありかどうかお伺いしてもよろしいでしょうか？

Yes, Mr. Shimizu. We reserved a corner table for two. The table has a great view.

はい、清水様。お2人様用に、コーナーの眺めの良いテーブルをお取りしてあります。

（レストラン側）注文を受ける

　注文を受ける際には、お客様が注文する準備ができているか最初に確認しましょう。お客様を急き立てることはせず、じっくりメニューを見ていただきます。お客様の相談に乗って、メニューから選ぶのをお助けするのもいいでしょう。

カジュアル **Are you ready to order?**
注文しますか？

★ **ふつう** **May I take your order now?**
今、ご注文をお伺いしましょうか？

★★ **わりとフォーマル** **Would you like to order now?**
今、ご注文なさいますか？

★★ **わりとフォーマル** **May I take your order now or would you like to have a few more minutes?**
今、ご注文をお伺いしましょうか、それとも数分後に伺いましょうか？

★★ **わりとフォーマル** **I was wondering if you are ready to order now.**
今、ご注文をお伺いできますでしょうか？

（お客側）注文までしばらく時間をもらう

フォーマルな高級店などでは、お客側も★★★（かなりフォーマル）の表現を使います。そうすることにより、一流のサービスを受けることができるのです。

なお、係の人が注文を取りにきたとき、準備ができていないのであれば、しばらく時間をもらいましょう。あわてて食べたくないものを注文したのでは、後で後悔することになってしまいます。

カジュアル **I need a few more minutes.**
あと数分、時間がかかります。

★ **ふつう** **Could I have a few minutes, please?**
あと数分いただけますでしょうか？

★★ **わりとフォーマル** **Would you kindly wait a few more minutes, please?**
あと数分お待ちいただけますでしょうか？

★★★ **かなりフォーマル** **Would you mind waiting for a few more minutes, please?**
あと数分お待ちいただいても構いませんでしょうか？

（お客側）お勧めの料理を尋ねる

レストランは、その日お勧めの特別料理を用意していることが多いものです。What's today's special?（今日の特別料理は何ですか？）のように尋ねるといいでしょう。Chef's Choice of the Day（シェフが選んだ本日の料理）などもあります。

カジュアル **What's your recommendation?**
お勧めは何ですか？

★ **ふつう** **What do you recommend?**
何がお勧めですか？

★ **ふつう** **What would you recommend?**
何をお勧めいただけますか？

★★ **わりとフォーマル** **We would like to hear your recommendation.**
お勧めを聞かせていただけますでしょうか。

★★★ **かなりフォーマル** **Would you mind telling me your recommendation?**
お勧めをお聞かせいただいても構いませんでしょうか？

(お客側) 注文する

TRACK 72

　メニューをじっくり見たら、接客係を呼んで注文します。欧米のレストランは、全体照明ではなく部分照明が多いため、メニューを見るのも係の人を見つけるのも暗いので大変です。メニューをテーブルの灯りにかざしてみないと見えないことがよくあります。

> **カジュアル** **We're ready to order.**
> 注文できます。

★ **ふつう** **Would you take our order?**
注文を聞いていただけますか？

★★ **わりとフォーマル** **We were wondering if you could take our order.**
注文を聞いていただけますでしょうか。

★★★ **かなりフォーマル** **Would you mind taking our order now?**
今、注文を聞いていただいても構いませんでしょうか？

（レストラン側）ステーキの焼き方を尋ねる

ステーキの焼き方は、一般的に4種類あります。ほとんど焼かない rare から、medium rare、medium、そしてよく焼いた well done までがあり、rare が一番ジューシーです。
　ステーキ専門のレストランのことは steakhouse と呼ぶのが普通です。

カジュアル **How do you like your steak?**
ステーキの焼き方はどうしましょうか？

わりとフォーマル **How would you like your steak?**
ステーキの焼き方はどうなさいますか？

わりとフォーマル **May I ask how you would like your steak?**
ステーキの焼き方はいかがいたしましょうか？

わりとフォーマル **I was wondering how you would like your steak.**
ステーキはどのようにお焼きすればよろしいでしょうか。

かなりフォーマル **Would you mind telling me how you would like your steak?**
ステーキの焼き方をおっしゃっていただいても構いませんでしょうか？

カジュアル **Medium rare, please.**
（お客）ミディアムレアでお願いします。

★ ふつう **I'll have my steak medium rare, please.**

（お客）私のステーキはミディアムレアでお願いします。

★★ わりと フォーマル **I would like to have my steak medium rare, please.**

（お客）私のステーキはミディアムレアでお願いできればと思います。

（レストラン側）付け合わせについて尋ねる

　ポピュラーなドレッシングとしては、Thousand Island dressing（マヨネーズにゆで卵、ピクルス、ペッパー等が入る）、French dressing（お酢とオイル）、Italian dressing（お酢、オイル、ハーブ）、Russian dressing（チリソース、ピクルス）や Ranch dressing（バターミルク、オニオン、ガーリックなど）があります。また、細かく砕いたブルーチーズを振りかけることもあります。

　アメリカでステーキをメインディッシュとして注文すると、ポテトやサラダとパンはメイン料理の一部としてついてくるのが普通です。しかし、スープとデザートは別料金で請求されることが多いと言えます。ステーキでは焼き方を指定し、ポテトではマッシュポテト、ベイクドポテト、フレンチフライの中から選び、サラダでは何種類かのドレッシングの中から選びます。

カジュアル **You can have mashed, baked, or French fries.**

マッシュポテトかベイクドポテト、またはフレンチフライを選べます。

★ **ふつう** **You may have a choice of potatoes: mashed, baked, or French fries.**

ポテトの種類をお選びいただけます。マッシュポテトかベイクドポテト、またはフレンチフライです。

★ **わりとフォーマル** **As for potatoes, you may be able to choose mashed, baked, or French fries.**

ポテトに関しては、マッシュポテトかベイクドポテト、またはフレンチフライをお選びいただけます。

カジュアル **What kind of dressing with that?**

ドレッシングは何にしますか？

★ **ふつう** **Do you have any particular dressing you like?**

特にお好きなドレッシングはありますか？

★★ **わりと フォーマル** **May I ask what kind of dressing you prefer?**

どのドレッシングがお好みかお尋ねしてもよろしいですか？

★★ **わりと フォーマル** **I was wondering what kind of dressing you particularly prefer.**

特別にお好きなドレッシングは何でしょうか？

★★ **わりと フォーマル** **You may have a choice of four types of soup: clam chowder, French onion, minestrone, and tomato.**

4種類のスープから選んでいただけます。クラム・チャウダー、フレンチ・オニオン、ミネストローネ、トマトがあります。

★★★ **かなり フォーマル** **As for the soup, we are proud to inform you that there are four types. They are clam chowder, French onion, minestrone, and tomato.**

スープについては、4種類ご用意させていただいております。クラム・チャウダー、フレンチ・オニオン、ミネストローネ、トマトです。

（レストラン側）飲み物について尋ねる

飲み物は、食事を頼んだ後に頼みます。ワインなどはとても種類が多いことが多いので、迷ったときは house wine と呼ばれる、そのレストランでお勧めのものが、値段もリーズナブルでお勧めです。

カジュアル And to drink?

何をお飲みになりますか？

▸ 食事の注文がすべて終わり、そして最後に飲み物を尋ねるときに And to drink? という決まり文句があります。

わりとフォーマル What would you like to drink?

何をお飲みになりたいですか？

わりとフォーマル May I ask what you would like to drink?

何をお飲みになりたいかお聞きしてもよろしいですか？

▸ 上の表現に May I ask〜? をつけた、さらに丁寧な表現です。

かなりフォーマル Would you mind telling me what you would like to drink?

何をお飲みになりたいかお聞きしても構いませんか？

わりとフォーマル Yes, tonight we happen to have a very delicious white house wine.

はい、ちょうど今夜はとてもおいしい白のハウスワインがございます。

★ **かなり フォーマル** **I should say you are very lucky guests. You are fortunate to have our rare but delicious white house wine tonight.**

お客様はとても運が良くていらっしゃいます。今夜は珍しくてかつおいしい白のハウスワインをお召し上がりいただけます。

★ **わりと フォーマル** **Would you like to taste it?**

テイスティングなさいますか？

★ **かなり フォーマル** **Would you mind tasting it?**

テイスティングをしていただいても構いませんでしょうか？

★ **ふつう** **I'm very glad you like it.**

気に入っていただきとても嬉しいです。

★ **わりと フォーマル** **We are very pleased to hear that you like it.**

気に入っていただいたとお聞きして、とても嬉しく思います。

★ **ふつう** **Anything else?**

他に何かありますか？

> この後に、男性であれば sir、女性であれば ma'am のようにつけます。

★ **わりと フォーマル** **Would you like to order anything else?**

他に何かご注文はございますか？

★ **わりと フォーマル** **Is there anything else you would like?**

他に何か必要なものはございますか？

（接待する側）好みの味かどうかを確認する

海外の人たちにとって、日本料理は初めてだったり、味がとてもユニークだったりすることもあります。少し食べてみて、どのような感想を持ったかを聞いてみましょう。どうしても食べられないようであれば、無理をせず、その通り言ってくれるように頼むのもよいでしょう。

★★ わりと フォーマル **Would you tell me if you like the raw fish?**

その生魚の味はお好きですか？

★★ かなり フォーマル **Would you mind telling me if you like the taste of the raw fish?**

その生魚の味がお好きかどうか言っていただけますか？

★★ わりと フォーマル **Please let me know your frank opinion about this menu.**

この料理について正直なご意見をお聞かせください。

★★ かなり フォーマル **I would like to know your true opinion about this menu.**

この料理について、本当の気持ちをお聞かせください。

(お客側) 注文したものと違う

洋の東西を問わず、注文したものと違った料理が出る場合があります。そのときは、違っていることをきちんとレストランスタッフに言わなければなりません。我慢して食べてしまうと、本来それを注文した他の客に迷惑をかけることにもなります。

カジュアル **This isn't what I ordered.**
これは私が注文したものではありません。

★ **わりとフォーマル** **I'm afraid this is not what I ordered.**
これは私が注文したものではないと思います。

★ **わりとフォーマル** **Would you kindly check what I ordered again?**
私が注文したものをもう一度チェックしていただけませんか？

★★ **かなりフォーマル** **Would you mind checking what I ordered again?**
私が注文したものをもう一度チェックしていただいても構いませんでしょうか？

（レストラン側）問題ないか尋ねる

TRACK 76

食事をしていると、テーブルの係が何度か、Is everything all right?（すべて問題ありませんか？）と尋ねてきます。アメリカでは、レストランスタッフは収入の大半をチップでもらう人が多く、お客様に十分満足していただいてたくさんチップをもらおうという姿勢があります。

お客側は、おいしい場合には delicious または tasty、辛過ぎる場合は too hot、塩辛過ぎるときには too salty、甘過ぎるときには too sweet、味がしないときには too bland と言って感想を伝えます。

カジュアル　Is everything all right?
すべてオーケーですか？

カジュアル　How is everything?
すべてオーケーですか？

★ **ふつう　I hope everything is all right.**
すべて問題ないとよいのですが。

★★ **わりとフォーマル　I was wondering if everything is all right.**
すべて問題ございませんでしょうか。

★★ **かなりフォーマル　Would you mind telling me if everything is all right?**
すべて問題ないか確認させていただいても構いませんでしょうか？

カジュアル　How's the meal?

食事はどうですか？

★ ふつう **Are you enjoying your meal?**
食事を楽しんでいるでしょうか？

★ ふつう **I hope you're enjoying your meal.**
食事を楽しんでいらっしゃるとよいのですが。

★★ わりと フォーマル **I was wondering if you were enjoying your meal.**
お食事を楽しんでいただけていますでしょうか。

（お客側）もう1杯頼む

コースで食事をしているとき、どうしても何回か飲み物を追加で注文することになります。食事中に色々な飲み物を混ぜて飲むと調子が悪くなる人は、Please don't mix my drink.（違った飲み物は飲みませんので）と断りましょう。

カジュアル **I'll have the same.**
同じものをお願いします。

★ **ふつう** **Would you bring me the same one?**
同じものを持ってきてくれますか？

★★ **わりとフォーマル** **I was wondering if I could have the same.**
同じものを持ってきていただけませんか。

★★★ **かなりフォーマル** **I appreciate it very much if you would bring me the same drink.**
同じ飲み物を持ってきていただければ、とても感謝いたします。

★ **ふつう** **Please don't mix my drink.**
違う飲み物にしないでください。

★★ **わりとフォーマル** **I would prefer not to have my drink mixed.**
違う飲み物にしないでいただければ幸いです。

★★★ **かなりフォーマル** **I would appreciate it very much if you wouldn't mix my drink.**
違う飲み物にしないでいただけたら、とても感謝いたします。

（接待する側）〆の言葉を言う

接待の際、食事を終えたら、しっかり挨拶して、次のビジネスにつなげていきましょう。ただおいしい食事をして終わるのではなく、楽しい時間を共にし、信頼関係を深めていくことが大切です。

わりとフォーマル **I hope you enjoyed the dinner.**

お食事をお楽しみいただけましたでしょうか。

かなりフォーマル **I was wondering if you enjoyed your first Japanese dinner. I sincerely hope that our business relationship will further develop.**

最初の日本食ディナーをお楽しみいただけましたでしょうか。これから、お互いのビジネスがさらに発展することを、心から望んでおります。

（お客側）お勘定を頼む

　お勘定を頼むときに、一般的には、Check, please. や May I have the bill, please? が使われます。まれではありますが、同じ意味で、Shock, please. と言ってお勘定を頼む人がいます。「想像していた金額よりも、びっくりするほど高い金額」という意味から来た表現だと聞きました。

> **カジュアル** **Bill, please.**
> 請求書、お願いします。

★ **ふつう** **May I have the bill, please?**
請求書をお願いできますか？

★★ **わりとフォーマル** **Would you bring me the bill, please?**
請求書を持ってきていただけますか？

★★★ **かなりフォーマル** **I appreciate it very much if I could get the bill now.**
請求書を持ってきていただければ、とても感謝いたします。

(レストラン側) 支払方法を尋ねる

　ぶっきらぼうに聞こえるかもしれませんが、お支払い方法をお客様に伺う際には、Cash or charge?（現金ですか、カードですか？）がよく使われます。丁寧な表現ではありませんので使うことはお勧めできませんが、知っていたほうがいい表現です。

カジュアル **How do you want to pay?**
どのように支払いたいですか？

わりとフォーマル **How would you like to pay for it?**
お支払いはいかがなさいますか？

わりとフォーマル **May I ask how you would like to pay?**
どのようにお支払いなさるかお尋ねできますか？

かなりフォーマル **Would you mind telling me the method of payment you prefer?**
お支払い方法をお伺いしても構いませんでしょうか？

カジュアル **Cash or charge?**
現金ですか、カードですか？

わりとフォーマル **Will that be cash or charge?**
キャッシュとクレジットカードのどちらになさいますか？

★ ふつう **Sign your name here, please.**
ここにサインしてください。

★★ わりとフォーマル **Would you sign your name here, please?**
こちらにサインをお願いできますでしょうか？

★★★ かなりフォーマル **Would you mind signing your name here?**
こちらにサインをいただいてもよろしいでしょうか？

(お客側)チップを払い、お礼を言う

アメリカの大都市の高級なレストランでは、給料の何倍もチップをもらっている接客係がいます。客が渡すチップはサービスの良し悪しに応じて、多いこともあれば少ないこともありますが、全く渡さないというのは良くないでしょう。現地の人によると、アメリカではレストランの格にもよりますが、とんでもなく悪いサービスでは5～10％ぐらいで、素晴らしいサービスには17～20％くらいと聞いています。ファーストフード店では支払う必要はありませんが、ダイナーなどでは5％ぐらい渡すのがよいそうです。

★ ふつう **Here is your tip.**

はい、これがあなたへのチップです。

★ ふつう **This is for you.**

これをどうぞ。

★★★ かなりフォーマル **Please take this as a tip for your wonderful service.**

あなたの素晴らしいサービスへのチップをお受け取りください。

★★★ かなりフォーマル **Please accept this for your excellent service.**

あなたの素晴らしいサービスのお礼をお受け取りください。

★ ふつう **Please come again soon. Have a wonderful evening.**

(レストラン) 近いうちに、また来てください。素晴らしい夜をお過ごしください。

★★★ かなりフォーマル **We're looking forward to seeing you again very soon. Please have a wonderful night.**

（レストラン）すぐ近いうちにお会いできるのを楽しみにしております。素晴らしい夜をお過ごしください。

★ ふつう **We'll come back soon. We enjoyed the dinner.**

また来ますね。とてもおいしい料理でした。

★★ わりとフォーマル **We're sure to come back soon. Thank you very much for your great service.**

近いうちにきっとまたお伺いいたします。あなたの素晴らしいサービスに感謝いたします。

COLUMN
議事録のおかげで賠償金を免れる

　10年間購買の仕事をしていて、議事録がとても大切だと思った事件がありました。そのとき私は海外への輸出を担当する購買部門に所属していました。ある大手メーカーとの約1年半に渡る交渉は順調に進んでいました。それは記憶装置の精密部品を大手の製造会社に発注して、IBMのスペックに合わせて開発してもらうというもので、量産注文となれば、とても高額の商談となるため、互いに真剣に話し合いを続けていました。ところが、サンプルを製造してもらうまではよかったのですが、大幅な生産減少が起こり、肝心の量産注文は発注されないことになったのです。しかし、製造会社は、量産注文を期待して組み立てラインをすでに設置していました。もちろんその組み立てに当たる人員の手配も行っていました。突然、量産注文は発注しないと言われても、すでに投資している金額はどのように賠償してくれるのかと、私の所属する部門に詰め寄ってきました。賠償金額は約1500万円にものぼったのです。

　我々の部門の担当者は、その賠償金額を詳細に分析しました。そこでわかったのは、我々がはっきりとは約束していない量産注文を、あたかも確実にもらえるものだと、このメーカーが早合点して量産体制を整えてしまった結果、1500万円もの金額を投資していたことでした。このことが判明したのは、会議をするたびに我が社の担当者が残しておいた議事録のおかげでした。お互いの会社がどのような話をして、その結果どのような結論に達したかを詳細に記録し、その写しをメーカーに毎回渡していたのです。その議事録の中では、量産注文をはっきりと発注するとは言っていませんでした。それを相手メーカーに伝えたところ、その事実を認めて賠償請求は取り下げるということになりました。もしこのようにきちんと議事録を残していなければ、言った言わないというような水掛け論になったり、裁判沙汰にまで発展したりしたかもしれないのです。議事録を交わすことの重要性をしみじみと認識した出来事でした。

CHAPTER

13

出迎え・ホテル宿泊

　海外出張の際、現地の地理に詳しくないときには、その国のビジネスパートナーに空港まで出迎えてもらうこともあるのではないでしょうか。海外の航空便は日本の国内便と比べて、到着も発着も予定時間に遅れることはごく普通にあります。数十分の遅れはざらで、数時間遅れるということもあります。乗る予定だった便が遅れて、他の便に乗らざるを得なくなった場合に、出迎えの相手にそのことを伝えるのはなかなか難しいこともあります。メールやFacebookのメッセージなど、事前に連絡の手段をきちんと決めておきましょう。自分の携帯電話がその国でも使えるかどうかも前もって調べておきます。

　また相手と面識がない場合には、自分の体格や容貌などを前もって伝えておくことが大切です。相手には、プラカードのような紙に自分の名前を大きく書いたものを掲げて待ってもらうようにリクエストしておくといいでしょう。空港へ迎えにきてくれた相手に対して自己紹介をし、宿泊予定のホテルまで車やタクシーで送ってもらうことになります。

　ホテルに着いて部屋に入ったら、最初に確認すべきことは、エアコンやテレビがきちんと稼動するか、トイレの水はきちんと流れるかなどです。海外では、備品の故障は日常茶飯事です。そのような場合には、しっかりとクレームをフロントに伝えましょう。ただし、品のない言葉を使って怒って言うのではなく、丁重に上品な表現で伝えます。このほうがかえって、相手に対してプレッシャーをかけることができます。きちんとメンテナンスされていない部屋に不満を抱きながら泊まる必要は全くありません。良い部屋とすぐに交換してもらうのも当然の権利です。

　それと、日本やアメリカのように水道の水がそのまま飲める国は、世界中の他の国でほとんどありません。ホテルだからといって安心せず、飲んでよいのかどうかを必ず出張前に確認しておきましょう。

出迎えてもらう

TRACK 80

　海外出張では、長時間飛行機に乗った後、ようやく目的地まで到着するとホッとします。早くホテルでゆっくりしたいという気持ちにもなるものでしょう。空港で出迎えの人とすんなり会うことができればいいのですが、混み合っている中で相手を見つけるためには、自分の名前が書かれたプレートを探す方法がスムーズです。

★ ［ふつう］ **I'm Haruo Inaba from Anzai Trading Company.**

安西貿易会社の稲葉治夫と申します。

★ ［ふつう］ **Welcome to Texas. I'm Jane Woods from Lone Star Exporters.**

ようこそテキサスへいらっしゃいました。私はローン・スター・エクスポーターのジェーン・ウッドと申します。

★★ ［わりとフォーマル］ **Thank you very much for meeting me at the airport.**

空港で私を出迎えていただきましてどうもありがとうございます。

★★ ［わりとフォーマル］ **You're quite welcome. It's my pleasure. I'll take you in my car to the hotel you'll be staying at.**

こちらこそ、どういたしまして。宿泊されるホテルまで私の車で送らせていただきます。

★ ふつう **How long will it take to get there?**
そこまでどのくらいかかりますか？

★ ふつう **It's about a 20-minute drive from here. Let me put your baggage in my car.**
ここからだいたい20分くらいです。お荷物を私の車に入れましょう。

★ わりと
★ フォーマル **I appreciate it.**
感謝します。

★ ふつう **How was your flight?**
フライトはいかがでしたか？

★ ふつう **It was all right.**
まあまあでした。

★ ふつう **Here we are. This is your hotel.**
はい、ここがお泊まりになるホテルです。

★ わりと
★ フォーマル **Thank you very much for your time.**
時間を割いていただきましてありがとうございます。

チェックイン・チェックアウト

TRACK 81

　ホテルのチェックインの際には、ネットやメールで正確な時間を確かめてから現地に到着するようにするとよいでしょう。
　また、チェックアウト時間を過ぎると、延長料金やもう1日分を取られたりすることがあります。チェックインの際に確認し、部屋の中にある説明書を読んで、正確なチェックアウト時間を確かめておいてください。

カジュアル **I want to check in.**
チェックインしたい。

★ **ふつう** **I reserved a room and need to check in.**
部屋を予約してあり、チェックインしたいのですが。

★★ **わりとフォーマル** **I have a reservation and I would like to check in now.**
部屋を予約してあり、チェックインさせていただきたいのですが。

カジュアル **I'm checking out.**
チェックアウトします。

★★ **わりとフォーマル** **I would like to check out now.**
これから、チェックアウトしたいと思います。

ホテルの部屋で

ホテルに滞在中、ホテルのスタッフに連絡を取る場合には、なるべく丁寧な表現で話すことをお勧めします。宿泊客がホテルの従業員に対して丁寧な表現を使うことに違和感を持つ方もいるかもしれません。しかしそれによって、他の宿泊客が行ってよかった場所の情報をもらったり、コンシェルジュの顔が利くレストランで眺めの良い場所のテーブルを予約してもらえたりするメリットがあるものです。従業員に丁重な対応を取ることにより、楽しく快適な宿泊をすることが可能になります。

★ 【ふつう】 **Hello, is this the front desk?**

もしもし、フロントですか？

> front だけでは十分でないので、必ず front desk と言わなければなりません。

★★ 【わりとフォーマル】 **Yes, it is. What can I do for you?**

（フロント）はい、フロントでございます。どのようなご用件でしょうか？

★ 【ふつう】 **I'm staying in Room 1401. My name is Haruo Inaba.**

私は1401の部屋に泊まっている者です。稲葉治夫と言います。

★★ 【わりとフォーマル】 **Yes, thank you for calling, Mr. Inaba. How may I help you?**

（フロント）稲葉様、お電話いただきましてありがとうございます。どのようなご用件でしょうか？

★★ わりと フォーマル **It's too hot in here. I tried to turn on the air conditioner, but I'm unable to do that.**

部屋の中が暑すぎます。エアコンをつけようとしましたが、つかないのです。

★★ わりと フォーマル **I'm very sorry to hear that. I'll send someone up to your room immediately.**

(フロント)それは大変申し訳ありません。大至急、お部屋まで係の者を向かわせます。

★★ わりと フォーマル **I appreciate it, but please hurry.**

ありがとうございます。しかし、急いでくださいね。

★★ わりと フォーマル **Mr. Inaba, I'm Mary Brown, hotel staff. I understand you're having trouble controlling your room temperature.**

(スタッフ)稲葉様、私はホテルの者で、メアリー・ブラウンと申します。お部屋の温度を調節するのにお困りと伺っております。

★ ふつう **That's right. Could you show me how to turn on the air conditioner?**

その通りです。エアコンのつけ方を教えてくれますか？

★★ わりと フォーマル **Certainly. I'm more than happy to do that.**

(スタッフ)かしこまりました。喜んでそうさせていただきます。

★★ わりとフォーマル **As far as I can see, there seems to be no problem with the air conditioner.**

（スタッフ）私の見たところ、エアコンに問題はなさそうです。

★★ わりとフォーマル **You're quite right. Thank you very much for fixing the problem so quickly.**

本当にその通りですね。すぐに問題を解決していただきましてどうもありがとうございます。

★★ わりとフォーマル **Not at all. It's my pleasure to help you. I wish you a good night.**

（スタッフ）どういたしまして。お役に立てて私としても嬉しいです。どうぞ、ごゆっくりお休みください。

★★ わりとフォーマル **The same to you. Let me say "Thank you" once again.**

あなたも、ゆっくり休んでください。もう一度お礼を言わせてください。

ホテルの部屋で

> **COLUMN**
宿泊費の高額なホテルは安全である

　私はニューヨークに勤めていたとき、アメリカの色々な都市へ出張しました。出張前にアメリカ人の上司に、滞在するホテルの宿泊費の上限を尋ねました。すると、宿泊費の高額なところは安全で、宿泊費が安くなれば、それだけ危険が増すと注意されました。それでは、いくら高いホテルに泊まっても構わないのですかと尋ねると、「その通りだ、宿泊費は気にしないで、安全と思われるホテルに泊まるように」と指示を受けました。たとえば、ニューヨークには一流ホテルと呼ばれるウォルドルフ・アストリアやプラザホテルなどがあります。1泊500ドルくらいしますが、ニューヨークでの数日間のセミナーなどに出席するときには、往復5時間かけて自宅から通う必要はなく、一流ホテルに宿泊しました。出張旅費を精算する際に、宿泊費の高いホテルに泊まってしまって申し訳ないと謝ると、上司は「あなたのしたことは全然問題ないから、気にしてはいけない。宿泊費の安いところに泊まったら、命を失う危険があるから、今後も少しばかり経費を削減しようと思って安価で危険なホテルに泊まるようなことはしてはいけない」と強く注意されました。

　ニューヨークに住んでいるお金持ちの老人たちはだいたい、とても強そうな警備員が入り口にいる高級マンションに住んでいます。日本では、お金持ちのお年寄りの住んでいる一軒家に泥棒が入り、殺害された上に貴重品やお金を強奪されるニュースをよく耳にします。知人のアメリカ人にこういった話をすると、「安全は無料で手に入るものではなく、お金を出して買うものなのだから、きちんと自分の命を守ってくれる、安全管理が行き届いた高級マンションを購入して、そこに住むべきだと思うよ」と言います。日本ではお金持ちのお年寄りだけで一軒家に住んでいるというのが、アメリカ人にとっては信じられないようです。日本とアメリカでは、安全に関する考え方がこんなにも違うのかと認識を新たにしつつ、「日本の常識、世界の非常識」という言葉を思い出したのでした。

CHAPTER 14

工場見学

　新しい会社と取引を始める前に、工場見学を行うことがあります。その会社がどのような設備を使って、何を製造しているか、職場環境はどのような状態かなどを理解しておくことは、これからのビジネスを進めていく上でとても大切です。

　工場内の整理整頓がされていなければ、労働災害が起こる可能性が高くなるでしょう。検査用の測定器のメンテナンス状態を見れば、品質管理が十分に行われているかどうかを知ることができます。たとえば、メッキ工程で発生する廃液処理がどのように行われているかをチェックするとします。ずさんな廃液処理をしていると、環境破壊を起こしたり、近所の住民とのトラブルを起こしたりしかねません。作業用のユニフォームが清潔か、破れや汚れがないかなどかも確認しておくといいでしょう。

　また、社員は笑顔で来客に挨拶をするように訓練されているどうかを見れば、社内教育が行き届いているか、ひいては労使関係は良好かなどまで想定することができるでしょう。工場見学用のコースがきちんと整頓されているか、見学者用の通路に危険物などが放置されたままになっていないか、作業者は見学者を歓迎しているか、または迷惑に思っているかなども態度や表情で知ることができます。

　生産ラインへの部品供給システムなどについて尋ねてみるのもいいでしょう。地震や停電が起きた際にどのようなバックアップシステム（たとえば別の生産設備で生産を進めること）が可能なのか、自家発電装置はあるのかなどをもあわせて尋ねてみることも大切ではないでしょうか。自分の工場の印象をよく見せるために、見学者にはほんの一部しか公開していない場合もあります。実際の生産の拠点は海外工場で、そこではずさんで苛酷な生産をしているにも関わらず、自社生産分の10％だけを工場見学で見せて、良い印象を与えようとする会社もあると聞いていますので、細心の注意を払いましょう。

工場見学での会社説明

　工場見学の前の会社説明で使用する英語は★★（わりとフォーマル）の表現を使うことをお勧めします。私は今までに何度もお客様に会社説明をした経験があります。その経験から言えることは、とてもフォーマルな★★★（かなりフォーマル）の表現で説明をすると、時間がかかりすぎてしまうことが多いのです。また、相手は大切なお客様なので、★（普通）の表現では失礼になってしまいます。

★★ わりとフォーマル **Welcome to Okada Robotics Engineering Ltd.**

　ようこそ岡田ロボテックス工業へいらっしゃいました。

★★ わりとフォーマル **Let me introduce myself. I'm Takeshi Okada, plant manager.**

　自己紹介させていただきます。私は工場長の岡田剛です。

★★ わりとフォーマル **First I would like to talk about our plant for a few minutes, then take you on a plant tour.**

　最初に数分間、工場の説明をさせていただき、その後で工場見学にお連れします。

★★ わりとフォーマル **Our company specializes in producing robots for manufacturing.**

　我が社は製造用ロボットを専門に製造しております。

★★ わりとフォーマル **We are fortunate to** have a worldwide market share of 57% of this sector as of 2016.

幸運にも、この分野において 2016 年現在で世界のマーケットシェアの 57％を占めております。

★★ わりとフォーマル **We manufacture 12 models of robots, and we've allocated an individual assembly line to produce each model.**

12 種類のロボットを製造しており、それぞれのロボットを製造するために、個別の製造ラインを割り当てております。

★★ わりとフォーマル **I would like to** end my presentation.

私のプレゼンを終わらせていただきます。

★★ わりとフォーマル **Would there** be any questions?

何かご質問はございますか。

★★ わりとフォーマル **I understand** there seems to be no questions.

ないものと理解させていただきます。

▸ there の後ろは seems も seem もどちらも使われます。後ろに来る questions を複数の語と取れば seem になりますが、抽象的にとらえれば seems になります。

工場内で

工場見学では、見学前の会社説明で使用したレベルと同じく、★★（わりとフォーマル）の表現を使用します。

★★ **わりとフォーマル** **Now I would like to take you on a plant tour.**
今から、工場見学にお連れしたいと思います。

★★ **わりとフォーマル** **Would you please follow me?**
私の後にいらしてください。

★★ **わりとフォーマル** **First I would like to take you to the second floor where you can get a bird's eye view of our whole assembly line.**
最初は、2階へお連れします。そこから、全組み立てラインを俯瞰していただきます。

★★ **わりとフォーマル** **The first assembly line is located closest to us while the last assembly line is farthest from us.**
我々に一番近いのが最初の組み立てラインで、一番遠くにあるのが、最後の組み立てラインです。

★ **ふつう** **It can take eight hours for us to finish assembling** each robot.

それぞれの一基のロボットの組み立てが終わるのに8時間かかります。

★ ふつう **This is our computer room.**

ここがコンピュータ室です。

★★ わりと
フォーマル **We make it a rule to test all robots before shipping them to our customers.**

お客様に出荷する前に、すべてのロボットの検査を行っております。

終わりの挨拶

　工場見学の終わりには、参加者の方々にお礼をお伝えしましょう。不明点があるかどうかも確認しておきます。最後に、「気をつけてお帰りください」「良い日をお過ごしください」と締めくくります。

★★ わりと フォーマル **If you have any questions, please ask me now. If not, I would like to end our plant tour.**

もしご質問がおありでしたら、こちらでお願いします。もしございませんでしたら、工場見学を終了させていただきます。

★★ わりと フォーマル **Unless you have any questions, this will conclude our plant tour.**

もしご質問がございませんようでしたら、これで工場見学を終わらせていただきます。

★★ わりと フォーマル **Thank you very much for your participation and please have a wonderful day.**

ご参加いただきましてありがとうございます。良い1日をお過ごしください。

★★★ かなり フォーマル **I would like to extend my gratitude to all the participants for your attendance and cooperation. Please have a safe trip and a wonderful day.**

すべての皆様に、ご参加とご協力に対しまして、心からの御礼を申し上げます。お気をつけてお帰りになり、良い1日をお過ごしください。

CHAPTER

15

プレゼンテーション

　日本人は、英語によるプレゼンがとても苦手だという方が多い一方、アメリカ人はとても上手だと言われています。もちろん日本人は英語ネイティブではありませんが、うまくいかなくて当然と思ってはいけません。日本人の中に、プレゼンを言い訳で始める人をよく見かけます。たとえば「最近仕事が忙しくて、プレゼンの準備に十分時間をかけることができませんでした」とか、「先週風邪を引きまして、まだ治りきっていません」などです。しかしプレゼンを聞くために集まった人たちにとっては、プレゼンをする人の最近の出来事など興味のないことです。このような言い訳でプレゼンを始める人は、「プレゼンの内容に自信が持てないので、あまり厳しく見ないでほしい、お手柔らかにお願いします」と頼んでいるような印象を出席者に与えかねません。

　一方、アメリカ人は、素晴らしいプレゼンをすることは仕事の中でも最重要であると考えています。実はアメリカ人にとっても、プレゼンをすることは、死ぬことの次に怖いことだと言われています。しかし、その怖さを克服するために彼らは徹底的に準備をします。プレゼンの前には少なくとも3回リハーサルをしますし、特に大事なプレゼンの場合には10回も念入りに行います。プレゼンの中で特に伝えたいキーメッセージは、プレゼンを通して何度も繰り返します。プレゼンで使う台詞を narrative と呼びますが、それを繰り返し言ってみて、少しでもわかりにくい部分はすぐに書き直します。略語を使う場合には、略語表を準備しておきます。

　前置きが長くなりましたが、これからプレゼンで使いたい表現をご紹介します。プレゼンでは、場面に応じた決まり文句があります。開始、自己紹介、全体像や項目の説明、サインポスト（場面を移す際に使う様々な道路標識になる言葉）、Q&Aにおける答え方が、スムーズに口から出てくるようになるまで練習を行えば、プレゼンの力がぐっと向上します。

挨拶する

TRACK 84

プレゼンの始まる時間に応じて、Good morning（おはようございます）、Good afternoon（こんにちは）、Good evening（こんばんは）を使います。使い分けは厳密ではなく、正午より1分過ぎたら Good afternoon を使わなければならないと言うわけでもありません。Good night は「おやすみなさい」を意味し、寝る前に言う表現なので、プレゼンでは使いません。

だいたい次のような時間帯で使うとよいでしょう。
Good morning: 午前5時くらいから12時くらいまで
Good afternoon: お昼または昼食後から、午後4時〜5時まで
Good evening: 午後6時くらいから10時くらいまで
Good night: 午後10時以降に別れるとき、または就寝前

★ [ふつう] **Good morning, everyone.**
皆さんおはようございます。

★★ [わりとフォーマル] **Good morning, ladies and gentlemen.**
紳士ならびに淑女の皆様、おはようございます。

★★ [わりとフォーマル] **Good morning and welcome to my presentation.**
おはようございます。ようこそ私のプレゼンにお越しくださいました。

★★ [わりとフォーマル] **Good morning and I hope you all had a pleasant journey here today.**
おはようございます。こちらにはスムーズにお越しいただけたのであればよろしいのですが。

自己紹介

日本の学校では、My name is Emi Ohtsuka. のように習ったと思いますが、これはビジネスパーソンが使うのは幼稚過ぎます。大人は I'm Emi Ohtsuka. のように言います。自己紹介には、会社名や担当する仕事などを入れて詳しく言うとさらに丁寧になります。

カジュアル **I'm Emi Ohtsuka.**
私は大塚恵美です。

★ **ふつう** **I'm Emi Ohtsuka from ABC Corporation.**
私はABC社から来ました大塚恵美です。

★★ **わりとフォーマル** **Let me introduce myself. I'm Emi Ohtsuka from ABC Corporation.**
自己紹介をさせてください。ABC社から来ました大塚恵美です。

★★ **かなりフォーマル** **I would like to introduce myself. I'm Emi Ohtsuka from ABC Corporation. I'm responsible for new projects.**
自己紹介させていただけますでしょうか。ABC社から来た大塚恵美と申します。新プロジェクトの責任者です。

NG **My name is Emi Ohtsuka.**
私の名前は大塚恵美です。

所要時間を告げる

プレゼンでは、まず自分のプレゼンにどのくらい時間がかかるかを出席者に伝え、できるだけその時間内に終了するようにすることが大切です。予定時間より15分もだらだらと時間を超過すると、出席者の次の予定に影響を与えることになりかねません。

カジュアル Today, I'll talk about our new projects for 30 minutes.

本日は、新規プロジェクトについて30分間話をします。

わりとフォーマル Today, I would like to talk about our new projects for 30 minutes.

本日は、新規プロジェクトについて30分間お話しさせていただきたいと思います。

わりとフォーマル Today, I would like to get 30 minutes of your time for my presentation on our new projects.

本日は、新規プロジェクトに関する私のプレゼンのために30分間お時間を拝借したいと思います。

かなりフォーマル Today, I would appreciate it very much if you could give me 30 minutes of your time for a presentation on our new projects.

今日は、新規プロジェクトに関する私のプレゼンのために30分間お時間を拝借できましたらとても感謝いたします。

目的や主題を告げる

プレゼンでは、目的や主題を出席者に正確に伝える必要があります。主題と全く異なった内容を話すことを hidden agenda と言いますが、これは避けるべきです。そのようなことをすると出席者たちの怒りを買ったり、信用を失ったりするからです。

★ 【ふつう】 **The focus of my presentation is our new projects.**

私のプレゼンの主題は新規プロジェクトです。

★ 【ふつう】 **In today's presentation, I'd like to mainly talk about our new projects.**

本日のプレゼンでは、特に新規プロジェクトのことについてお話しさせていただきたいと思います。

★★ 【わりとフォーマル】 **In today's presentation, I'm hoping to give you an overview of our new projects.**

本日のプレゼンでは、新規プロジェクトの全体像についてお話ししたいと思っております。

★★★ 【かなりフォーマル】 **In today's presentation, I appreciate it very much if I can take your time to talk about our new projects.**

本日のプレゼンでは、お時間をいただいて新規プロジェクトのお話をさせていただければ、とても感謝いたします。

メリットを伝える

TRACK 86

　日本人は一般的に、控えめで自慢をすることはあまり好まないと言えます。しかし、海外でプレゼンを行う際には、そのプレゼンのメリットを堂々と出席者に宣言することが大切です。はっきり宣言することはすなわちその内容に自信があると取られます。

★ <ふつう> **Through my presentation, you'll learn a lot about our new projects.**

私のプレゼンを通して、皆さんは新規プロジェクトについて多くのことを学ぶでしょう。

★ <ふつう> **This presentation may help you understand more about our new projects.**

このプレゼンは皆様が新規プロジェクトについての理解を深めるのにお役に立つことでしょう。

★★ <わりとフォーマル> **After my presentation, I hope you'll have a deeper understanding about our new projects.**

私のプレゼンの後で、新規プロジェクトについて皆様の理解がさらに深まることを望んでおります。

★★★ <かなりフォーマル> **I'll be very happy if my presentation may help you understand more about our new projects.**

もし私のプレゼンが、新規プロジェクトについて皆様の理解を深めるお役に立てましたら、とても幸いに存じます。

構成を伝える

次に、プレゼンがいくつの部分から成り立っているかを説明します。できれば、プレゼンの全体的な流れを1ページにまとめて示し、進めていく途中で時々そのページに戻り、現在はプレゼンのここの部分の説明を行っている、と出席者に伝えるようにすればなお良いでしょう。

★ 【ふつう】 **My presentation consists of three parts.**
プレゼンは3部構成になっております。

★ 【ふつう】 **I have divided my presentation into three parts.**
プレゼンを3部に分割しました。

★★ 【わりとフォーマル】 **For ease of understanding, I have divided my presentation into three parts: First, past history of cameras. Second, current status. Last, future projection.**
ご理解いただきやすいように、プレゼンを3部に分割しました。1番目はカメラの歴史、2番目は現在の状況、最後は将来の展望です。

★★ 【かなりフォーマル】 **In order to make my presentation easier to understand, I have divided it into three parts: Firstly, past history of cameras. Secondly, current status. Finally, future projection.**
プレゼンを理解しやすくするために3部に分割しました。1番目はカメラの歴史、2番目は現在の状況、最後は将来の展望です。

質疑応答について

TRACK 87

　質疑応答は Q & A session (q and a session) と呼ばれます。プレゼンの終わり頃に5分くらい時間を割いて、出席者の質問に答えます。プレゼンの最中に質問を受けると、予定時間を超過したり、プレゼンの流れが中断されたりするので、最後にまとめて質問を受けることをお勧めします。

★ ［ふつう］ **Please** save your questions during the presentation. I'll have a Q & A session at the end.

　プレゼンの最中は、質問をご遠慮ください。最後にQ & Aセッションがありますので。

★★ ［わりとフォーマル］ **I'll be happy to** answer your questions in a Q & A session at the end.

　ご質問には、最後のQ & Aセッションで喜んでお答えさせていただきます。

★★ ［わりとフォーマル］ **If there are any questions you'd like to ask, please** save them until the end when I'll have a Q & A session.

　もしご質問がございましたら、最後のQ & Aセッションまでお待ちいただけますようお願い申し上げます。

★★★ ［かなりフォーマル］ **I'd be most grateful if** you would ask your questions after the presentation when I'll try my best to answer them in a Q & A session.

　ご質問はプレゼンの最後までお待ちいただければ感謝申し上げます。Q & Aセッションでは、ベストを尽くしてお答えするようにいたします。

最初の話題に入る

プレゼンに入る前に、挨拶や自己紹介、構成、主題、メリット、Q&Aの有無を伝え、それから話題に入ります。会場がざわついていたり、全員が席についていなかったりした場合には、少し待ってからスタートしたほうがいいでしょう。

カジュアル **Let's start by looking at our past history of cameras.**

カメラの歴史について話をすることにしましょう。

わりとフォーマル **I'd like to start by looking at our past history of cameras.**

最初は、カメラの歴史についてお話しさせていただきたいと思います。

かなりフォーマル **I'd be grateful if I could start with our past history of cameras.**

最初は、カメラの歴史についてお話しさせていただければ幸いです。

かなりフォーマル **May I have your attention, please? If everybody is ready, I would like to start with our past history of cameras.**

ご注目ください。全員の皆様の準備がよろしければ、カメラの歴史についてお話しさせていただきたいと思います。

2番目の話題に入る

最初の話題が終わって、2番目の話題に移ることを述べてから、または参加者の同意を得てから、話題を変更することが大切です。1番目の話題が出席者に十分理解されていない状態で、2番目に入るべきではありません。

★ ふつう **That's all for my first point.**
これで私の1番目のポイントは終わりです。

★ ふつう **Next, let me move on to my next point.**
今度は、次のポイントに移ります。

★★ わりとフォーマル **Next, please allow me to move on to my next point.**
今度は、次のポイントに移らせていただきます。

★★ かなりフォーマル **I was wondering if I could move on to my next topic.**
次のトピックに移ってもよろしいでしょうか。

質問する

「あなたへの質問」を日本語に直訳すると a question to you と言いたくなりますが、a question for you が正しいので注意してください。ask を使うときには、目的語を 2 個取って ask you a question の形になります。

- ★ 〔ふつう〕 **I have a question for you.**
  1 つ質問があります。

- ★★ 〔わりとフォーマル〕 **I would like to ask you a question.**
  1 つ質問させていただきたいと思います。

- ★★★ 〔かなりフォーマル〕 **May I interrupt you for a second? I would like to ask you a question.**
  割り込ませていただいてもよろしいですか？ 1 つ質問させていただきたいと思います。

  > このように質問する前に、相手の立場を考慮する表現を加えると、丁寧さが増します。

- ★★★ 〔かなりフォーマル〕 **If I'm not interrupting you, is it possible to ask you a quick question?**
  もしお邪魔でなければ、手短かに 1 つ質問させていただくことは可能でしょうか？

質問を呼びかける

TRACK 89

　Q & A Session に入っても誰からも質問の声が上がらない場合には、I've been often asked about ～（～についてしばしばご質問を受けます）と、よく聞かれることを挙げる表現もあります。これによって質問を喚起する言い方です。

★ 　ふつう　　**Are there any questions?**
何か質問がありますか？

★★ わりと フォーマル **You're welcome to ask me a question.**
ご質問を歓迎いたします。

★★ わりと フォーマル **If anyone has any questions, I'll be pleased to answer them.**
もしどなたかご質問がございましたら、喜んでお答えいたします。

★★ かなり フォーマル **Are there any questions? I would be grateful if you would ask me a question.**
どなたか質問はおありでしょうか？　もしどなたかご質問がございましたら、喜んでお答えさせていただきます。

難しい質問に答える

時には、プレゼンの最中に簡単に答えられない難しい質問をされることがあります。そのような場合には、「少し時間をほしい」と言ったり、プレゼンの終わり頃に答えるようにしたり、メールで返事をするなどして、次に移ったほうがいいでしょう。

★ ふつう **That's a very good question.**

それは、とても良いご質問です。

> 「相手に返事をするつもりはない」というような意味で使われます。相手によっては馬鹿にされたように感じる人もいるので、使うときには注意が必要です。

★ ふつう **That seems to be a very tough question to answer.**

それは、ご返事するのがとても難しそうなご質問ですね。

★★ わりと フォーマル **I'll try to come back to that question later if I may.**

もしよろしければ、その質問には後ほどお答えしたいと思います。

★★★ かなり フォーマル **I appreciate it very much if you could allow me time to answer that question later on in my presentation.**

その質問にはお時間をいただき、プレゼンの後半にお答えさせていただいてもよろしいでしょうか。

質問を問い返す

　聞き取れなかった質問は、わかったようなふりをせずに、きちんと聞き返しましょう。そうでないと、相手の質問の真意からずれた返答をしてしまいかねません。質問の内容が難しくて理解できない場合には、易しい言葉を使って言い直してもらうように頼みましょう。

★ ふつう **Pardon me?**

もう一度お願いできます？

★★ わりと フォーマル **I beg your pardon?**

もう一度お願いできますか？

★★ わりと フォーマル **I'm sorry but could you repeat that in simpler English?**

すみませんが、それをもっと易しい英語で言い直していただけますか？

★★★ かなり フォーマル **Would you mind repeating that in simpler English?**

それをもっと易しい英語で繰り返していただいても構いませんか？

納得のいく答えになっているか確認する

TRACK 90

相手の質問に対して、自分はきちんと返事をしたつもりでも、相手に趣旨が伝えきれていないことがあります。Are you satisfied with my answer?（私の返事で満足なさいましたか？）などと言って、質問した人がきちんと理解できたかどうか尋ねるといいでしょう。

★ ふつう **Is that clear?**
これではっきりしましたか？

★ ふつう **Are you satisfied with my answer?**
私の返事で満足なさいましたか？

★ ふつう **Did I answer your question?**
ご質問にはお答えしましたか？

★ ふつう **I hope I answered your question.**
ご質問にお答えできていればよいのですが。

★★ かなりフォーマル **I was wondering if I answered your question in a satisfactory way.**
ご満足いただける形でご質問にお答えできていればよろしいのですが。

締めくくる

プレゼンの終わりには、それをきちんと宣言する必要があります。何となく終わらせてはいけません。黙って最後のページを見せ、頭を下げて終わりなどという日本的な終わり方は世界では通用しません。出席者の顔を見ながらきちんと挨拶して、締めくくりましょう。

That's all I have today.
これで私の本日の持ち分は終わりです。

I would like to finish with this page.
このページで終わらせていただきたいと思います。

This page brings me to the end of my presentation.
これで私のプレゼンを終わらせていただきます。

Now, I'm very pleased to conclude my presentation.
これで私のプレゼンを喜んで終わらせていただきます。

出席者に感謝する

プレゼンの最後には、出席者に対し、プレゼンに興味を持って聞いてくれたことに対してきちんと感謝の言葉を告げましょう。社内の人に対しても、社外の人と同じように感謝の気持ちを表すことが大切です。

★ 【ふつう】 **Thank you for listening.**
お聞きいただきましてありがとうございます。

★ 【ふつう】 **Thank you for your patience and cooperation.**
ご辛抱とご協力に感謝いたします。

★★ 【わりとフォーマル】 **I'd like to thank you all for your attention and interest.**
皆様のご清聴とご関心に感謝を述べたいと思います。

★★ 【かなりフォーマル】 **Finally I'd like to thank you from the bottom of my heart for your attention and cooperation.**
最後に、皆様のご清聴とご協力に心の底から感謝いたします。

> COLUMN
> # Role Playing

　プレゼンの内容を事前にチェックする方法として、role playing というやり方があります。たとえばスタッフ同士で、1人がお客様の役を、もう1人がセールスパーソン（「セールスマン」は女性を含まない言葉なので使ってはいけない）役を演じます。売り手側だけの観点から見ると、どうしてもひいき目に見てしまい、厳しい買い手の見方にまで配慮が及ばないことが多いからです。

　お客様役の人が「あなたのところの複合機を購入したら、何か我が社が得することでもあるのかね」と質問したら、「弊社の複合機には、他社製品と比べていくつかのメリットがございます。まずランニングコストも電力消費量も少なく、音も小さく、おまけにサイズが小さいのでフロアのスペースをセーブすることもできます」と、その客が複合機を購入する際に検討しそうな項目について答えます。するとお客役が、「そんなうまいことを言うけれど、何か具体的な資料はあるのかね。口だけなら何でも言えるからね」とたたみかけます。そこで「おっしゃることはごもっともです。私たちは競合他社の製品を購入して様々な調査や実験を行っております。その資料もここにあります。他社の製品の誹謗中傷になるといけませんので、差し上げることはできませんが、お見せすることはできます」と言って、競合他社製品と自社商品の主要項目を比べた比較表をちらっと客に見せます。人間の心理として、ちらっと見せられると真剣に見たくなるものです。数分間ほど客にその資料を見せると、大事な項目をメモするでしょう。そこで、その資料は戻してもらい、「御社が将来に渡って成功を続けるためには、我が社の複合機を購入することが必須であり、そうでないと他社との競争に負けてしまいかねない」ことを伝えるのです。このようなやり取りを想定問答集にしてセールスパーソン全員に配布しておく会社もあります。

　お客と売り手の立場を role playing することにより、それまではっきりとわからなかったポイントが見えてきます。

CHAPTER 16

社内でのスピーチ

　この章では、様々な社内イベントでのスピーチを取り上げます。

　大きなプロジェクトを成功させたり、その年に一番貢献したりした社員に対して、社長賞を授与する会社も多いものです。賞金が1万ドル（約100万円）出たり、1週間の休暇旅行が副賞に含まれていたりします。また、社長賞を受賞した社員は、同期に対し、出世競争において大きく水をあけることにもなります。受賞者の挨拶では、上司や同僚に対して感謝の気持ちを述べましょう。

　海外に長期赴任をした人が帰国する際には、現地スタッフが送別会を開いてくれることがよくあります。そのような会では、長い間お世話になったお礼や、特に記憶に残ったエピソードについて話すといいでしょう。すべて良い話だけをする必要はありません。3つくらいは良い話をして、1つくらいは耳の痛い話を紹介して、それでも全体的にはとても満足した赴任であったと締めくくればいいでしょう。私がニューヨークでの3年間の赴任を終えたときも、心温まる送別会を開いていただいたので、上司、同僚、秘書の皆様からとてもお世話になったことに心からの感謝の気持ちを伝えました。

　ちなみに、日本企業に働く海外の人たちは、サヨナラという言葉を理解していますので、Farewell Partyの代わりにSayonara Partyと呼んでも通じます。海外の人が、日本に来て何年か日本企業で勤めた後に帰国する際のパーティーでは、主役はもちろん去っていく海外の人です。主催者はその人の上司で、幹事役は秘書が担当するのが普通です。去っていく人の過去の貢献を褒め称え、参加者や友人からお金を集めて購入したプレゼントを贈呈して、パーティーは終了します。

社長賞の表彰

製品発表時のパーティーは、表彰式も兼ねていることがよくあります。社長賞を成績優秀者に、社長自ら手渡す場面もあります。受賞者には、表彰楯に加え、賞金も渡されます。この賞をもらうことにより、昇進が他の社員より早まることもあります。

I'm president John Stevenson. I'm very honored to be here.

私は社長のジョン・スティーブンソンです。この場に立ち会えますことをとても光栄に思います。

I'm very happy to present Ms. Yuka Hayashi with the President's Award for this year.

今年の社長賞を林由香さんに贈呈できることをとても嬉しく思っています。

She has made an outstanding contribution to our company by obtaining several key patents for our new product.

林さんは、我々の新製品に関する数種類の主要な特許を取得し、我が社に多大な貢献をされました。

Ms. Hayashi, I would like to congratulate you on receiving this year's President Award.

林さん、今年の社長賞の受賞おめでとうございます。

社長賞受賞者の挨拶

受賞者は、受賞の喜び、同僚や上司へのお礼などを要領良くまとめて、1分以内でスピーチするとよいでしょう。人の名前を間違えたり、大切な人が抜けたりしないように、それらの情報を横15センチ、縦10センチくらいのカードにまとめておいて、読み上げてもよいでしょう。もちろん、カードを見ないでさらさらと言えればそれに越したことはありません。

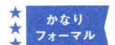

かなりフォーマル

President John Stevenson, I'm highly honored to receive the President's Award for this year.

ジョン・スティーブンソン社長、今年の社長賞を受賞させていただき、とても光栄に存じます。

かなりフォーマル

From the bottom of my heart, I would like to express my sincere gratitude to my managers and colleagues for all your help and guidance.

ご協力やご指導をいただいた上司の皆様や同僚の皆様に心の底から感謝の意を表します。

かなりフォーマル

I would like to express my gratitude to my managers and colleagues. I believe that I'm just receiving the award on behalf of all of them. But for their help and advice, I wouldn't be able to receive this award.

上司の皆様や同僚の皆様に、御礼を申し上げます。皆様全員を代表して、この賞をいただいていると強く感じております。皆様

のご協力や助言がなければ、この賞はいただけませんでした。

> on behalf of は「〜を代表して」の意味。behalf は「利益、支持」を表します。but for は「〜がなければ」を意味する決まり文句です。

帰国する人の送別会

　グローバル企業においては、海外から赴任し、数年を日本人とともに仕事をした同僚や上司に対して送別会を開く機会は、よくあることです。送別会の席では、皆がお金を出し合って購入したプレゼントを渡したり、仕事上の貢献度などを関係した人たちがスピーチをするのが普通です。欧米における送別会と比べると、日本のものは少し豪華過ぎるような気がします。

　下記は、帰国することになった海外からの赴任者に対し、新プロジェクトのチームリーダー役として活躍した業績を称えてプレゼントを贈るときの表現です。

★ 【ふつう】 **It's a pity that** Paul is leaving us. He worked with us for three years.

ポールが私たちから去っていくのは残念なことです。彼は私たちと3年間一緒に仕事をしました。

★ 【ふつう】 **Mr. Paul Barnhart is finishing his three-year assignment in Japan.**

ポール・バーンハート氏は、日本における3年間の赴任を終了しようとしています。

★★★ 【かなりフォーマル】 **To our regret,** Mr. Paul Barnhart has to leave after completing his three-year assignment in Japan.

残念なことですが、ポール・バーンハート氏は、日本における3年間の赴任を終了して去っていかなければなりません。

★★★ 【かなりフォーマル】 **It's sad to say, but** our good friend Mr. Paul Barnhart is leaving Japan after completing his three-year assignment.

悲しいことですが、我々の良き友人であるポール・バーンハート氏が、３年の赴任を終えて日本から離れていきます。

★ ふつう **He worked as a team leader on many new projects.**

チームリーダーとしてたくさんの新プロジェクトで仕事をしました。

★★ わりと フォーマル **He made great contributions to many new projects as a team leader.**

チームリーダーとしてたくさんの新プロジェクトに偉大な貢献を果たしました。

★★ わりと フォーマル **He worked as a team leader on several new projects, training his staff and making wonderful contributions along the way.**

いくつかの新プロジェクトにチームリーダーとして部下たちを教育し、これまで素晴らしい貢献を果たしてきました。

★★ わりと フォーマル **Mr. Paul Barnhart worked in Japan for the past three years and greatly contributed to various new projects as a team leader.**

ポール・バーンハート氏は、この３年間日本で勤務し、チームリーダーとしてさまざまな新プロジェクトで大いに貢献を果たしてきました。

★★ かなり フォーマル **He has been a great asset to our organization and made superb contributions to many new projects as a very capable team leader.**

私どもの組織にとって偉大な資産であり、とても優秀なチーム

リーダーとしてたくさんの新プロジェクトに見事な貢献を果たしていらっしゃいました。

> a great asset は決まり文句で「会社の偉大な資産」を意味します。

★ ふつう **We are here to present him with a *samurai* helmet or Japanese kabuto for all his efforts.**

ここで、彼の多くのお骨折りに対して、侍のヘルメット、つまり兜を贈ります。

★★ わりとフォーマル **We are very glad to present him with a *samurai* helmet or Japanese *kabuto*.**

侍のヘルメット、つまり兜を喜んでお贈りします。

★★ かなりフォーマル **In praise of his great achievements, we would like to give a *samurai* helmet or Japanese *kabuto* as a present from all of us.**

偉大な貢献を称えるために、侍のヘルメット、すなわち兜をお贈りいたします。

★★ かなりフォーマル **In appreciation of his outstanding achievements, we would like to present him with a *samurai* helmet or Japanese *kabuto*.**

傑出した貢献に感謝し、侍ヘルメット、すなわち兜をお贈りさせていただきます。

帰国する人の送別会　269

赴任の終わりに

TRACK 94

　数年の海外赴任を終えて母国へ帰国する際のスピーチでは、素晴らしい上司や同僚や秘書たちと仕事をできたことの喜びを語り、家族とその国で色々な場所へ旅をした思い出話などを紹介するといいでしょう。その国を去ることになって、留まりたい気持ちと、母国へ帰りたい気持ちの板ばさみになっていると伝えると喜ばれます。

★★ わりとフォーマル **I would like to express my gratitude to my colleagues for holding this wonderful farewell party for me.**

この素晴らしい送別会を私のために開催していただきまして、心から感謝いたします。

★★ わりとフォーマル **I'm very sad to say that we have to leave this wonderful country in one week.**

この素晴らしい国を1週間後に去らなければならないのは、とても悲しいことです。

★★ わりとフォーマル **During my three-year assignment, I was very fortunate to be on a team that announced a series of new products worldwide.**

赴任していた3年の間、とても運の良いことに、新製品のシリーズを世界に向けて発表するグループの一員となることができました。

★ ふつう **To tell the truth, I have mixed feelings about leaving this wonderful and beautiful country.**

本当のことを言いますと、私はこの素晴らしく、かつ美しい国を去るにあたり、複雑な気持ちです。

定年退職者の送別会

定年で退職する人を送り出すときに開催するパーティーでは、退職者のそれまでの貢献度や仕事ぶりなどに触れ、「退職されてしまうと寂しくなる」というような気持ちも伝えるといいでしょう。

Please join me in thanking Ms. Lucy White for her invaluable efforts these past seven years.

皆さん、ルーシー・ホワイト氏のこの7年間におけるとても貴重な努力に、私とともに感謝してください。

As many of you know, Lucy has been an important member of our team and has contributed greatly to many successful projects.

大多数の皆様がご存じの通り、ルーシーはずっと我々のチームの大切なメンバーで、たくさんの成功したプロジェクトに多大な貢献を果たしました。

We will miss her strong work ethic, attention to detail, and persistence.

彼女の強い仕事への倫理観、詳細なことに払う注意力、根気強さが見られなくなるのは寂しいことです。

退職する人のスピーチ

　退職する人の、開催してくれた人たちに対するお礼のスピーチでは、上司や同僚に感謝の気持ちを伝え、プレゼントに対する喜びを表すとよいでしょう。この場合、できるだけ★★（わりとフォーマル）の表現を使うのがよいでしょう。参加者の中には、上司やさらに地位の高い管理者もいるので、礼を失しないようにするためです。
　転職する際には、ネガティブな内容は禁物です。どうしても辞めざるを得ない理由が起きたので、不本意ながら泣く泣く退職するけれど、会社の繁栄をお祈りしていると結ぶのがいいでしょう。

★★ わりとフォーマル **Thank you all for holding this wonderful party for me.**

私のためにこの素晴らしいパーティーを開催していただきましてありがとうございます。

★★ わりとフォーマル **Thank you very much for holding this surprise farewell party for my retirement.**

この素晴らしいサプライズ送別会を私の退職のために開催していただきまして深く感謝します。

★★ わりとフォーマル **Thank you also for the most generous gift.**

とても気前の良いプレゼントを頂戴したことにも感謝いたします。

★★★ かなりフォーマル **I would like to extend my gratitude for the wonderful present.**

素晴らしいプレゼントをいただき、心からお礼申し上げます。

★★ わりとフォーマル **I would like to tell you that** this particular wrist watch has been on my wish list for a long time.

この腕時計は長い間、ほしいものリストに載っていたものだと言うことをお伝えいたします。

★★ わりとフォーマル **I'll treasure** it for many years to come.

これから長い間宝物として大切にさせていただきます。

★★ わりとフォーマル **As many of you may already know,** today is my last day with this company.

皆様の多くがすでにご存じの通り、今日は私にとってこの会社での最後の日になります。

★★ わりとフォーマル **I have recently accepted an offer from a new company in India to be their CEO, and will be moving there shortly.**

私は最近、インドにある新会社のCEOにならないかという申し出を受け入れ、近日中にそちらへ引っ越します。

★ ふつう **I will leave this company with mixed emotions.**

私はこの会社を去るにあたり複雑な気持ちです。

★★ わりとフォーマル **It has been a great pleasure** working with you all.

皆様全員と一緒にお仕事ができたことは大きな喜びでした。

★★ わりとフォーマル **I would like to say what a pleasure it has been working with all of you these five years.**

この5年間、皆様とご一緒にお仕事ができたことがいかに楽しかったかを再度お伝えしたいと思います。

★★ わりとフォーマル **I appreciated all the support, insight, and help all of you have provided me along the way.**

私がいただいたすべてのご協力、洞察力、ご援助に感謝いたします。

★★ わりとフォーマル **I wish all of you good luck in your work.**

お仕事で皆様に幸運が来ることをお祈りしております。

今後の付き合いも期待すると述べる

TRACK 96

最後の挨拶では、今までのお付き合いが、退職を機に終わってしまうことなく、将来も継続していくことを希望するというメッセージを伝えるとよいでしょう。

★★ わりと フォーマル **When any of you have a chance to visit Japan, please consider that you have a friend there.**

皆様のどなたでも、もし日本に来る機会がありましたら、私という友達がそこにいるとお考えください。

★★ わりと フォーマル **I am not going to say goodbye but "mata aimasho" which means "See you again" in Japanese.**

私はさよならとは言いません、その代わり「また会いましょう」と言わせていただきます。

★★ わりと フォーマル **I wish you good luck in your work and I hope we can keep in touch.**

皆様にお仕事で幸運が訪れることをお祈りし、これからも連絡を取り合うことができるよう希望しております。

★★ わりと フォーマル **I can be reached at my personal email address or at the cellphone number printed on the note all of you are receiving before you leave.**

皆様がお帰りになる際にメモをお渡しします。そこに印刷されている私の個人のメールアドレス、携帯番号で連絡を取っていただけます。

★★ わりとフォーマル **If I can be of any service to you in the future, please let me know.**

もし将来私が何らかの形で皆様のお役に立つようでしたら、何なりとご連絡ください。

★★ わりとフォーマル **I sincerely hope we can stay in touch.**

今後とも連絡を取らせていただきたいと切に願っています。

海外で運転する

　海外への短期出張では、レンタカーを借りて自分で運転することはあまりお勧めしません。道路標識や交通ルールが違っていたり、時差ぼけで寝不足状態だったりして運転せざるを得ないなどの悪条件が重なるからです。もし交通ルールを理解できたとしても、外国語で書かれている注意事項を瞬時に読んで理解できるでしょうか。「迂回しろ」DETOUR、「工事中」UNDER CONSTRUCTION、「速度を落とせ」REDUCE SPEED、「左に寄れ」MERGE TO LEFT を見てすぐに反応できなければ、とても危険だということです。

　アメリカでの運転は特に危険です。なぜなら、左側通行の日本とは反対の右側通行だからです。交差点で曲がるときには右車線に入らなければいけないのに、日本と同じ感覚で左車線に入ってしまうことがよくあります。そうすると、真正面から同じ車線を対向車が走ってきます。私は合計で5年間ほどアメリカで運転しましたが、それでも疲れていたり、日本からアメリカに到着したばかりで時差ぼけで運転したりしたときに、車線変更でたまにミスを起こしました。一度などは、深夜に到着した空港から一般道路に出たばかりのところで、いきなり曲がり角で左車線に入ってしまったことがあります。すると真正面から大型トラックが警笛を大音量で鳴らしながら突進してきました。急ハンドルを切って、正面衝突をかろうじて避けることができましたが、ヒヤッとした経験でした。

　また、歩行者として道路を渡る際にも、アメリカでは要注意です。日本では右側を見てから道路を渡り始めますが、アメリカでは左側から車が走ってきます。アメリカではくれぐれも、左側をしっかり見てから道路を渡り始めるようにしてください。

　最後に、アメリカでは、右折や左折のウィンカーをつけたまま、まっすぐに走る車が多いことも頭に入れておいてください。アメリカの車は、ハンドルを戻してもウィンカーが戻らないことがあるようなので、気をつけましょう。

車に関する語には、和製英語が多いので、正しい英語をご紹介します。海外では通じませんので、海外で運転する人はぜひとも覚えておいてください。

和製英語	正しい英語
バックミラー	rear-view/rearview mirror（英米）
ハンドル	steering wheel（英米）
フロントガラス	windscreen（英）、windshield（米）
ワイパー	windscreen wiper（英）、windshield wiper（米）
ドアーミラー	wing mirror（英）、side-view mirror（米）
ガソリン	petrol（英）、gas/gasoline（米）

著者略歴

浅見ベートーベン（あさみ・べーとーべん）

英語研修サービス有限会社代表取締役社長。1947年に軽井沢で生まれ、東京赤羽で育つ。日本人の母とアメリカ人の父を持つ。

明治大学商学部と米国コーネル大学（鳥類学）で学び、ジョージア大学にてマーケット・リサーチャー・プロ資格を取得。TOEIC連続満点（990点）、英検1級、通訳案内業国家試験（英語）合格。

35年に渡り日本IBMに勤務し、合計4年間のニューヨーク本社赴任と、アジア・パシフィック本社でのプロダクト・マネジャーを経験。筑波大学大学院講師を経て、現在は執筆業やセミナーなどでビジネス英語教育やTOEIC教育に広く携わる。

日本IBMにおいて社内教育を担当し、ビジネス英語、プレゼン英語、Eメールの書き方、英語の速読、TOEIC高得点獲得講座などを教えて、受講生からは全講師中で最高の評価を得る。

『ビジネスパースンのための英語イディオム辞典』（NHK出版）、『世界で戦う　伝わるビジネス英語』『世界で戦う　英語のロジカルプレゼン』（明日香出版社）、『改訂新版　2週間で英語の読解スピードが3倍になる本』（アスク出版）など、50冊以上の著作がある。NHKラジオテキスト『入門ビジネス英語』を長年執筆。Amazon Kindleから『日本の野鳥』や『野鳥写真プロテクニック』シリーズなど合計で30冊以上を出版している。

ビジネス英語の敬語

2016年11月1日　第1刷発行
2019年2月27日　第3刷発行

著者　　浅見ベートーベン
発行者　小野田幸子
発行　　株式会社クロスメディア・ランゲージ
　　　　〒151-0051 東京都渋谷区千駄ヶ谷四丁目20番3号
　　　　東栄神宮外苑ビル　https://www.cm-language.co.jp
　　　　■本の内容に関するお問い合わせ先
　　　　TEL (03) 6804-2775　FAX (03) 5413-3141

発売　　株式会社インプレス
　　　　〒101-0051 東京都千代田区神田神保町一丁目105番地
　　　　■乱丁本・落丁本などのお問い合わせ先
　　　　TEL (03) 6837-5016　FAX (03) 6837-5023　service@impress.co.jp
　　　　（受付時間　10:00-12:00、13:00-17:00　土日、祝日を除く）
　　　　古書店で購入されたものについてはお取り替えできません。
　　　　■書店／販売店のご注文受付
　　　　インプレス　受注センター　　TEL (048) 449-8040　FAX (048) 449-8041
　　　　インプレス　出版営業部　　　TEL (03) 6837-4635

カバーデザイン	竹内雄二		録音・編集・CDプレス	株式会社巧芸創作
本文デザイン・DTP	木戸麻実、高橋明香（おかっぱ製作所）		印刷・製本	中央精版印刷株式会社
校正	余田志保		ISBN 978-4-8443-7753-5 C2082	
英文校閲	Colleen Sheils, Paul Burke		©Beethoven Asami 2016	
ナレーション	Katie Adler, Chris Koprowski		Printed in Japan	

■本書のコピー、スキャン、デジタル化等の無断複製は、著作権法上での例外を除き禁じられています。本書を代行業者等の第三者に依頼して複製することは、たとえ個人や家庭内での利用であっても、著作権上認められておりません。
■乱丁本・落丁本はお手数ですがインプレスカスタマーセンターまでお送りください。送料弊社負担にてお取り替えさせていただきます。